senhora das águas

Pedro Siqueira

Senhora

das águas

A maior provação da sua vida
pode se transformar na maior bênção

SEXTANTE

Copyright © 2011, 2017 por Pedro Siqueira

Todos os direitos reservados. Nenhuma parte deste livro pode ser utilizada ou reproduzida sob quaisquer meios existentes sem autorização por escrito dos editores.

As passagens bíblicas deste livro foram retiradas principalmente da Edição Pastoral da Bíblia Sagrada, da editora Paulus.

copidesque
Gabriel Machado

revisão
Ana Grillo

projeto gráfico e diagramação
DTPhoenix Editorial

capa
Angelo Allevato Bottino

imagem de capa
Simon Butterworth / Getty Images

impressão e acabamento
Geográfica e Editora Ltda.

CIP-BRASIL. CATALOGAÇÃO NA PUBLICAÇÃO
SINDICATO NACIONAL DOS EDITORES DE LIVROS, RJ

S628f Siqueira, Pedro
       Senhora das águas / Pedro Siqueira; Rio de Janeiro: Sextante, 2017.
       208p.; 16 x 23cm.

       ISBN: 978-85-431-0484-3

       1. Ficção brasileira. I. Título.

17-39347
CDD: 869.93
CDU: 821.134.3(81)-3

Todos os direitos reservados, no Brasil, por
GMT Editores Ltda.
Rua Voluntários da Pátria, 45 – Gr. 1.404 – Botafogo
22270-000 – Rio de Janeiro – RJ
Tel.: (21) 2538-4100 – Fax: (21) 2286-9244
E-mail: atendimento@sextante.com.br
www.sextante.com.br

Para minha esposa, Natália, com amor.

"Compreendi que tudo o que
Deus fez dura para sempre. A isso nada se pode
acrescentar, e disso nada se pode tirar.
Deus fez assim para ser temido."

(Eclesiastes 3, 14)

CAPÍTULO I

Viagem

O trem corria como uma lebre em direção ao pé da cordilheira. Devido ao isolamento acústico, reinava o silêncio dentro do vagão, fazendo crer que ele flutuava sobre os trilhos. O mundo passava suavemente pela janela, como em um telão de filme, apesar da alta velocidade. Os viajantes pareciam estar acostumados e não davam muita atenção à paisagem, preferindo notebooks ou livros. Os que tinham companhia conversavam animadamente.

No vagão de número 15, estava meu grupo, que transformava o veículo francês num pedaço do Brasil. Basicamente, eram pessoas muito mais ligadas à vida espiritual do que eu. Católicos praticantes, de longa caminhada, daqueles que participam das orações e missas de corpo e alma. Sentia-me um tanto deslocada no meio deles.

– Logo no dia que a conheci, aqui na viagem, reparei que seus olhos são muito tristes. Você é muito bonita e simpática, mas os olhos... Não sei – disse a senhora que se sentava à mesma mesa que eu, na poltrona de dois lugares diante de mim.

Gaúcha, ela tinha uns 70 anos e falava com forte sotaque. Era uma pessoa carinhosa.

– Não sei do que você está falando, Teresa. Nunca me disseram nada do tipo. Estou me sentindo muito bem aqui com o grupo. Vocês todos são agradáveis.

Eu me remexi no assento, me empertigando. Ficara desconfortável com o comentário.

– Estava lendo uma coisa aqui na minha Bíblia, sabe? De repente, me veio a ideia de ler em voz alta para você! Talvez seja um recado de Deus ao seu coração.

Eu já havia percebido esse hábito em algumas mulheres do grupo. Elas diziam que era algo corriqueiro na Renovação Carismática Católica. Olhei um tanto descrente para Teresa, mas não queria ofendê-la, então sinalizei para que ela prosseguisse, com um sorriso forçado.

– É o capítulo 9 do Livro da Sabedoria.

Ela abriu um sorriso luminoso, pigarreou um pouco, arrumou os óculos no nariz e continuou:

– "Quem pode conhecer a vontade de Deus? Quem pode imaginar o que o Senhor deseja? Os pensamentos dos mortais são tímidos e nossos raciocínios são falíveis, porque um corpo corruptível torna pesada a alma, e a tenda de terra oprime a mente pensativa. Com muito custo, podemos conhecer o que está na terra e com dificuldade encontramos o que está ao alcance da mão. Mas quem poderá investigar o que está no céu?"

Teresa se reclinou, pousando a Bíblia no colo, e deixou as mãos penderem ao lado das pernas.

Aquela passagem era um retrato do que me incomodava havia algum tempo. Imediatamente, minha respiração se acelerou. Eu estivera a olhar a paisagem, meditando sobre as desgraças que haviam se abatido sobre mim. Questionava por que a mente humana não conseguia alcançar os propósitos do destino. Por mais que eu tivesse planejado tudo, as coisas não tinham saído como desejava.

Como eu gostaria de ter explicações sobre todos os fatos dolorosos que haviam me sucedido nos anos, meses e dias anteriores! Ao investigar tudo, meu cérebro não conseguia nenhuma resposta satisfatória. Vai ver era isso: a carne atrapalhava a visão espiritual... Continuei encarando Teresa em silêncio.

– Então, a passagem bíblica se enquadra no que você está vivendo agora, Gabriela?

Seu rosto estava sério. Ela me olhava fixamente por cima dos óculos pretos. Aguardava uma resposta e não desistiria tão fácil. Sabia que tinha dado um tiro no escuro e acertado a caça. Nem que apenas de raspão!

– Nas últimas quatro horas que passamos aqui no Eurostar, fiquei me perguntando: por que somos tão limitados em analisar nossas próprias vidas? – Embora isso não respondesse à pergunta dela, foi a coisa mais honesta que eu pude dizer.

– Esse lugar que vamos visitar daqui a poucas horas é mágico! Pode trazer um alívio definitivo para sua alma. O importante é que você não se prenda demais aos pensamentos. Deixe um pouco de lado o cérebro e preste atenção ao espírito.

Que conselho mais estranho... Meu rosto deve ter sofrido alguma contração inesperada, pois ela imediatamente começou a me explicar com mais calma:

– Se sua mente analisou tantas vezes a situação em que se encontra e não obteve sucesso, é hora de parar. Ela precisa de repouso. Agora a tarefa é do espírito. Algo que todos nós possuímos, mas usamos muito pouco! Ele pode entrar em contato com o divino que mora no seu coração e que habita também o lugar que vamos visitar. Dessa comunhão talvez venha a resposta. Tudo pode ser mudado na sua vida. Acredite.

Eu estava mordendo o lábio e, nesse momento, o torci, incrédula. Teresa não desistiu:

– Não sei qual é o seu problema, ou melhor, a sua dor, mas sei que tem solução. Tudo nesta vida tem solução, mesmo que dependa de um milagre. O milagre será a solução!

Sinceramente, queria acreditar em tudo o que ela me dizia. De qualquer forma, que outra saída eu tinha? Vinha lutando com todas as armas que a ciência e a tecnologia podiam me oferecer. Até ali, só a espiritualidade não havia sido explorada por mim. Se o espírito era real ou não, naquele estágio da caminhada pouco importava. Situações dramáticas exigiam saídas drásticas.

Levantei-me e disse que ia ao vagão-restaurante. Ela sorriu e acenou com a cabeça. Eu queria ficar um pouco sozinha. Não que fosse de fugir dos meus problemas ou de debates mais profundos, já que sempre os enfrentara de peito aberto. Precisava, entretanto, de espaço para respirar e assimilar o novo.

Andando pelos vagões, veio forte em mim a lembrança dos dias anteriores em Paris, especialmente nossa ida à Rue du Bac. Fazia frio, mas o sol brilhava na belíssima cidade. O ônibus que levava nosso grupo parou na esquina mais próxima. Descemos e, em fila indiana, seguimos para o convento onde houvera aparições da Virgem Santa.

A entrada era tão discreta que passei direto, procurando por uma igreja ou algo semelhante. Miguel, nosso guia turístico, veio me buscar rindo e me indicou um portão comum pequeno. Logo que entrei, vi que os painéis nas paredes contavam um pouco da história do lugar. Detive-me uns minutos lá.

Ao fundo, estava a entrada para o convento. Lá, à direita, num grande salão, situava-se a capela. Lugar de bom gosto, sóbrio, com um belo altar. Emanava paz e harmonia, destoando da rua por onde tínhamos acabado de passar. Naquele local, a Virgem se encontrara com uma religiosa, Catarina Labouré.

Ao lado direito do altar, notei uma cadeira antiga mas bem conservada. Estava cercada por um cordão de isolamento. Ali, Nossa Senhora se sentara para conversar com a noviça santa. Observando a relíquia, podia ouvir ao longe meus pensamentos: seria aquela história verdadeira? Era possível que um espírito se materializasse a ponto de se acomodar em uma cadeira e acolher em seu colo a cabeça de uma freira?

Percebi a comoção que a cadeira havia produzido em nosso grupo de peregrinos. As pessoas partiram feito loucas em sua direção.

Fiquei estática, olhando. Não sabia bem o que fazer. A distância, via doze pessoas ajoelhadas em frente ao objeto. Lágrimas eram derramadas, mãos se erguiam em oração, lábios se moviam em súplicas inaudíveis aos ouvidos humanos.

– Se eu fosse você, pelo sim, pelo não, fazia igualzinho a eles... – sugeriu nosso guia, simpático e bonachão como sempre.

Virei-me para responder, mas ele já caminhava na direção oposta.

Na hora em que me ajoelhei, vieram à mente todas as dificuldades pelas quais estava passando. Um pensamento constante, podia-se dizer, era a preocupação número um. Nos últimos meses, vinha me angustiando o medo de morrer. Não sabia o que iria encontrar pela frente...

Rezei imediatamente uma Ave-Maria. Pela primeira vez, o final da oração chamou minha atenção: "Rogai por nós, pecadores, agora e na hora da nossa morte". Contive as lágrimas. Melhor confiar na história da cadeira e da aparição do que imaginar que não tinha nenhuma chance. Pedi que Maria estivesse comigo na hora da minha morte e que, de preferência, ela só ocorresse dali a muitos anos.

A hora da minha morte! Quando seria? Estaria muito próxima? Será que existia alguma chance de escapar? Como tinha pouco mais de 40 anos, nunca me preocupara com esse tema. Preferia continuar daquela maneira, mas não era possível.

Ao me levantar, virando-me em direção aos bancos laterais da igreja, deparei-me com o rosto alegre de Ana, outra senhora simpática da excursão. Como que por impulso, ou melhor, atraída pelo seu imenso sorriso, fiz algo que não me era comum: perguntei-lhe se era hábito dos católicos rezar pela própria morte.

Ela me respondeu positivamente. Disse que pedir por uma boa morte é uma prática tradicional da Igreja. Todos nós deveríamos estar preparados para um momento tão importante. Fiquei aliviada. Depois de alguns passos, todavia, me preocupei de novo: teria sido algum tipo de intuição minha? Senti medo. Estaria Nossa Senhora me avisando que a minha morte de fato se aproximava?

Naquela tarde, saí do Santuário da Medalha Milagrosa com emoções conflitantes: preocupação e esperança. Qual delas iria vencer o combate? Era o início de um caminho obscuro para mim, inexplorado. Embora minha vida nunca tenha sido um mar de rosas, não me sentira levada ao âmbito espiritual mesmo em meio às dificuldades.

Alcancei o vagão-restaurante e me sentei a uma mesa colada na janela, observando a bela paisagem do interior da França. Minha vida passava como um filme na minha mente. Do lado de fora, a chuva começou a cair, bem fina. Provavelmente o tempo esfriava, bem diferente da minha terra natal na mesma época do ano. A água tomava o vidro da janela do trem.

– Cristina, estou preocupado... Não estou vendo a menina! – exclamou meu pai, tenso, em minhas lembranças.

– Calma, Carlos! Com certeza ela está brincando aqui por perto na areia – minha mãe tentava apaziguá-lo.

– Levante-se e venha me ajudar a procurá-la – disse ele, estendendo a mão à mulher que estava sentada.

Segurando-a firme, ergueu-a de uma vez só.

– Meu Deus! Acho que a correnteza a está levando... Aquela figurinha que vai em direção ao alto-mar não é a Gabriela? – agora perguntava minha mãe.

Recordo-me de como ousava nadar desde pequenina. Fazia muita força para me manter à tona e puxar a água para avançar metros. Tudo parecia tão difícil... Minha cabeça era obrigada a pensar em cada movimento isoladamente e depois juntá-los para que a combinação funcionasse. Nada era automático!

Sem auxílio de boias. Coisa mais absurda! Aquilo era artificial demais para mim. Os peixes não as usavam. As outras crianças, um pouco maiores, aparentavam ser totalmente livres porque não tinham aquelas amarras nos braços! Eu queria ser igual... Livre e ágil!

Sentia bem de leve o sabor da tal liberdade no Posto Seis, em Copacabana, dentro do mar. Pena que não tinha forças para lutar contra a correnteza e experimentá-la a fundo. Ir além do que os meus pequenos olhos negros podiam calcular. As águas insistiam em me vencer. Acabavam por me arrastar. Um dia, jurava para mim mesma, iria nadar até as ilhas que conseguia visualizar da areia. Ver a cidade lá de longe. Seria um grande triunfo.

Guardo a imagem do meu pai, esbaforido, com os olhos arregalados, avermelhados pela ação do sal e do vento contrário, dando braçadas ferozes, perfurando reduzidas ondas do mar em minha direção. Enquanto eu lutava para boiar, queria avisá-lo que não havia pressa. Eu estava bem, apesar de não ter fôlego para falar com ele e me manter na superfície ao mesmo tempo. Meu único problema era não conseguir voltar para a areia sozinha.

Suas mãos vigorosas me pegaram por baixo das axilas, apertando com tanta força que até doía, cobrindo meu corpo até as costelas. Não era doida de reclamar. Então, ele respirava fundo e, cuspindo um pouco de água, batia as pernas de modo frenético, como os jogadores de polo aquático, e me mandava enlaçar seu pescoço. Eu procurava ajudá-lo agitando as pernas rechonchudas.

Ele seguia nadando em estilo peito, comigo nas costas. Pendia um pouco para o lado esquerdo, provavelmente porque sua potência estava na braçada direita e sua cabeça pesava levemente para o lado oposto. Não se tratava de um bom nadador, mas estava dando certo. Eu adorava! Sabia que ficaria de castigo naquele dia, mas o preço era justo para tanta diversão! De maiô azul, na beira, minha mãe aguardava o resgate, de braços cruzados e expressão preocupada.

Na verdade, na maior parte do tempo, ela carregava aquele semblante. Por isso eu não me alterava. Era comum. Com o passar do tempo descobri que havia algo errado. Criança se habitua à mãe da forma como ela é. Às vezes me ocorria que as outras mães eram mais alegres. Depois deixava o pensamento de lado. Aquela era a minha. Bastava.

Na conjunção do mar com a areia, meu pai me colocou no colo e fez questão de sair comigo em seus braços. Eu, toda orgulhosa, olhava para as outras crianças, do alto do pescoço dele. Sentia-me membro da realeza. Ao perceber a missão cumprida, minha mãe nos deu as costas e foi se sentar, aliviada, na cadeira de praia.

– Acabou seu dia de praia, menina! Hoje de tarde você não vai a lugar nenhum. Está de castigo. Ah, não tem sorvete de sobremesa também! – avisou meu pai depois de alguns minutos, ainda tentando recuperar o fôlego, sentado na areia.

Pronto. Eu já esperava a punição. Era sempre a mesma coisa! Mesmo já conhecendo o desfecho de minha proeza aquática, não mudara de ideia. Valera o risco. Chateada com minha atitude, minha mãe me olhava com reprovação.

– Ouviu seu pai? Não tem discussão. Não adianta chorar. Não é a primeira vez que você nos desobedece dessa forma. Assim você vai matar seus pais do coração. Não podemos tirar os olhos nem um segundo de você, senão... lá vem!

Ela pôs a mão esquerda na testa em estilo dramático.

Depois, só deu tempo de eu ser secada e vestida, e logo fomos embora. Andávamos os três em direção ao apartamento. Caminhada de dez minutos. Após o banho, fiquei trancada no escritório de papai. Nada de televisão ou música. Bonecas, nem pensar! Era o castigo de praxe para a travessura da praia.

Sentada no canto, numa grande almofada azul, eu olhava pela janela que dava para a rua. Entediada, andava em círculos pelo pequeno cômodo, sem fazer barulho, para não atrair a ira de meus pais. Acabei parando em frente a uma imagem de madeira de 50 centímetros que ficava ao lado da escrivaninha de meu pai.

Segundo informação do próprio dono, era um anjo vestido de branco, com cabelos esvoaçantes, segurando com a mão direita a hóstia e, com a esquerda, um cálice. Não tinha asas. Talvez por isso eu me interessasse tanto pela figura. Na escola, todas as imagens angélicas tinham asas! Seria aquele anjo do meu pai o único do tipo?

– Pai, por que seu anjo não tem asas? – perguntei certa vez durante o jantar.

– Bom... Quem disse que anjo tem asas, menina?

Como ele não esperava aquela pergunta, resolveu retribuir com outra. Não sabia bem o que dizer.

– A irmã Catarina. A madre gordinha que toma conta da gente.

Eu o olhei fixamente para ver sua reação. Ele apenas uniu as mãos e apoiou o queixo nelas. Entendi que o gesto me encorajava a falar mais.

– Lá no colégio, na entrada, perto da escada que a gente sobe para a sala de aula, tem duas imagens de anjos. Uma de cada lado. Um está de azul; o outro, de branco. Os dois têm asas. Aliás, é por isso que são anjos, não é?

Precisava dar uma resposta que fizesse sentido.

– Ora, Gabriela, ninguém viu um anjo de verdade! – Ele deu uma risadinha. – Acho que as pessoas colocam asas nos anjos para mostrar que são seres diferentes de nós! – retrucou meu pai, convencido de seu argumento.

– Pai, a irmã Catarina disse que alguns santos viam anjos de verdade! Eram com asas ou não? – questionei-o, com olhos inquisidores.

– Não sei nada sobre esses homens, minha filha. Nunca conheci nenhum santo pessoalmente, então como vou saber como é um anjo de verdade? Não sei nem se existem – concluiu, com a voz mais aguda. Ele tentava se desvencilhar daquele assunto desconfortável.

– Carlos! Isso é coisa que se diga para a menina? – interrompeu minha mãe, indignada. – Gabriela, está na hora de nos levantarmos da mesa. Seu pai precisa ler algumas coisas do trabalho para amanhã e você precisa dormir cedo para render bem na escola. Vamos! – ordenou, abanando as mãos e apontando o caminho a ser tomado.

O assunto estava encerrado e eu, insatisfeita.

Dez horas da noite, de volta ao presente, chequei o relógio na mesa de cabeceira. Estava exausta. Finalmente me encontrava sozinha no quarto do hotel, na cidade de Lourdes. Sem forças, coloquei a mala do jeito que deu no canto do quarto, perto da entrada do banheiro. Abri-a o suficiente para pescar lá dentro minha camisola azul. Após me despir, atirando a roupa em cima da calefação, que estava abaixo da janela, me vesti aliviada. Desabei na cama e adormeci.

Acordei com um telefonema da recepcionista. Em um inglês com sotaque carregado, me comunicou que o grupo dos peregrinos brasileiros iria se reunir às oito horas no salão do segundo andar para o café da manhã. Sentei-me na cama com pouco ânimo. Que horas eram?

O relógio me disse: quinze para as sete. Tomei coragem e fui até o chuveiro. O banho parecia revigorar meus músculos maltratados pelo assento do trem e pelos dias de viagem. Por um bom tempo, deixei a água quente escorrer pelos ombros e pelas costas, numa massagem agradável. Quando me sequei e fui me vestir, percebi que o horário havia andado além do previsto. Precisava descer rápido, estava atrasada.

Após o café, subi ao quarto para escovar os dentes e buscar mais um casaco. A temperatura estava mais baixa do que eu esperava. Coloquei as luvas no bolso da calça. Sentia muito frio nas extremidades; provavelmente precisaria de mais proteção. As meias eram de lã, e o sapato preto, fechado. Estava pronta para descer e finalmente seguir ao tão falado santuário.

Ao pisar na calçada, estaquei. Tantas vezes pensara estar seguindo um caminho seguro na minha vida... Tudo conforme o planejado. Algo que poderia chamar de definitivo. Do nada, vinha um golpe para me mostrar o equívoco. Mesmo assim, teimosa, insistia no mesmo caminho. Caíra inúmeras vezes. Assim, fui seguindo. Quantos tombos mais seriam necessários até que viessem os passos firmes?

A brisa fria chegou amistosa, me acariciando. Minha visão foi se focando. Passei os dedos pelas pálpebras fechadas, comprimindo-as. A paisagem enfim apareceu bela, apesar do dia acinzentado. Meus movimentos foram retornando e eu me virei em direção ao rio Gave, que corria em ritmo constante à minha frente.

A música que ele produzia era prazerosa. O volume de suas águas, contudo, não impressionava. Já havia visto rios bem maiores em extensão, largura e profundidade. Sua cor era escura, talvez em função das chuvas, que remexeram seu fundo. Todas as fotos dele, penduradas na entrada do hotel, o retratavam verde-esmeralda... Meus olhos o atravessaram e se perderam na grama e nas árvores que, de mesmo colorido, ao fundo, subiam pelas montanhas.

Aos pés dos Pirineus, as montanhas não se pareciam com as da minha cidade. No Rio de Janeiro, elas se encerravam praticamente junto ao mar, de forma dramática, abrupta... Ali, no sul da França, o ritmo tranquilo de cidade do interior e a formação rochosa harmônica em nada lembravam a loucura do meu dia a dia.

Respirei fundo e apertei o cachecol em volta do pescoço. Como o frio não diminuía, decidi dar passos maiores, mas, logo à frente, novamente parei. Indecisa, olhei para a calçada e a rua de paralelepípedos perpendicular. Mirei um pouco mais acima, com um suspiro. Será que valia a pena aquilo? Então, uma voz falou dentro do meu peito. Trazia um convite amistoso das águas que, ao se deslocarem à minha frente, impeliam-me para a caminhada, rumo ao desconhecido.

Podia parecer estúpido: um rio não tem voz. Será? Como, então, se comunicava comigo, dando-me forças para um mergulho no improvável? Uma ligação magnética, muito antiga, entre mim e a água, compartilhada por outros, eu acreditava, embora nunca os tivesse encontrado.

Minha mãe não era uma pessoa que praticava muito a religião. Havia sido batizada, feito primeira comunhão e se casado na Igreja Católica, mas não participava das missas de domingo. Só ia às de sétimo dia, Natal e Páscoa. Porém, detestava quando alguém falava mal das coisas sagradas ou do cristianismo.

Meu pai era cético. Não tinha nenhum interesse em religiões ou em debates metafísicos. Eu não sabia se ele acreditava em Deus. Acompanhava minha mãe nas missas em que ela ia, por educação e companheirismo. O anjo de madeira, que tanto chamara minha atenção quando menina, era de sua falecida mãe, por isso ele o guardava com todo o respeito e carinho. Não combinava em nada com o escritório, não era um enfeite. Devoção, nem pensar!

Minha avó paterna era muito religiosa. Participava da missa todos os dias de manhã. Bem cedo, colocava o véu negro sobre a cabeça e, empunhando a bengala de madeira, caminhava dois quarteirões até a igreja. Chegando lá, procurava um genuflexório e, com muita dificuldade, se punha a rezar. Dizia que sua primeira saudação do dia era para o Anjo de Portugal, conhecido pelas aparições em Fátima. A imagem de madeira do escritório do meu pai era sua representação.

Nosso apartamento continha pouquíssimos itens religiosos. Recordo-me, além do Anjo de Portugal, de uma cruz de madeira acima da cabeceira da cama dos meus pais e de uma imagem de Nossa Senhora de Lourdes, que ficava num móvel da sala, elegante no seu vestido branco, com a bela faixa azul na cintura e o rosário pendendo dos antebraços.

A mulher ali retratada parecia pertencer a uma família real. Eu, como toda menina, adorava isso! Perguntava à minha mãe de que reino aquela senhora era. Ela respondia que era da Jerusalém Celeste. Como eu queria ir até aquele lugar! Se as mulheres daquela corte eram tão elegantes e belas, era lá que eu queria viver. Mamãe não dava a menor bola. Apenas sorria de canto de boca.

Um dia, na escola, enquanto irmã Catarina me conduzia escada acima, resolvi assuntá-la a respeito do reino; afinal, eu precisava descobrir se aquela estátua de mamãe era de alguma princesa de lá. A irmã chorou de rir.

– Irmã Clara, venha cá! Você não imagina o que a Gabizinha acabou de me perguntar.

Vendo a satisfação da irmã, a outra freira se aproximou às pressas.

– Ela quer saber onde fica o reino chamado Jerusalém Celeste e quem é a princesa de lá.

As duas riram. Eu, quieta, fiquei observando, um pouco constrangida. Será que eu tinha falado alguma besteira? Minha mãe iria ficar muito chateada comigo ao descobrir... Pior: quando eu chegasse em casa, ela me colocaria de castigo.

– Querida, não é princesa, não. O reino existe de verdade, mas tem uma rainha. Chama-se Maria.

Meu Deus! Será que era aquela mulher que eu via lá em casa? Aquela senhora era mais do que uma princesa? E, ainda por cima, tinha o mesmo nome da minha coleguinha de classe... Tudo estava muito confuso na minha cabeça.

– Ah, Jerusalém Celeste é o reino para onde Deus vai levar os justos ao final de suas vidas. Todo mundo quer ir para lá, Gabizinha. Dizem que é o lugar mais belo que existe. Já imaginou? Morar lá, para sempre, com a rainha! – exclamou a irmã Clara, extasiada.

As duas me afagavam a cabeça.

– Posso ir também? Será que a rainha vai me querer lá? Tem menina da minha idade morando com ela?

Tantas dúvidas diante da nova descoberta... Mal podia imaginar que as dúvidas espirituais infantis retornariam tantos anos mais tarde, na mente da mulher madura.

CAPÍTULO II

Anjo

Nunca me emendei com os castigos recebidos. Mesmo com a certeza da punição, meu espírito me impulsionava adiante. A curiosidade e a vontade de me testar eram maiores do que o medo. Talvez por isso a água representava uma atração e um desafio irresistíveis. Não importavam as ameaças maternas e paternas. Sempre que possível, eu escapava da severa vigilância e me atirava no mar.

Apesar de ter por objetivo as ilhas avistadas da praia de Copacabana, sabia que, inicialmente, nadar para além da arrebentação e voltar para a areia sem auxílio de ninguém já seria um recorde pessoal. Quando tinha 6 anos, consegui meu intuito pela primeira vez. Percorri muitos metros, venci ondas mínimas e a correnteza. Olhei a distância. Tomei fôlego e voltei à praia.

Cheguei à areia ofegante. Muito cansada. Meus músculos estavam retesados. Não saí da água imediatamente. Precisava me recuperar um pouco. Fiquei sentada na parte úmida um tempo, olhando para minhas pernas finas, com a cabeça colada no peito. Joguei-a para trás e tentei aspirar todo o oxigênio possível.

Depois, observei as marolas que me tocavam os pés. Eles estavam bem enrugados por causa da água gelada. Eu estava muito satisfeita por saber que meu pai não tinha interferido na aventura. Não o via, mas tinha quase certeza de que me observava de algum lugar estratégico. Ao levantar os olhos, me deparei com uma figura muito alta diante de mim.

Sua pele branca reluzia. Vestia uma túnica azul e dava a impressão de pisar na superfície do mar. Os pés não afundavam. Seus cabelos pareciam ser da mais pura e cristalina água e flutuavam com ele no espaço. Seu olhar era sereno e firme. Eu o encarei por três segundos. O suficiente para nunca mais esquecer sua face. Girei rápido para correr em direção à minha mãe. Queria que ela visse aquele homem.

Com passadas rápidas na areia fofa, braços agitados à frente, respiração acelerada pela excitação, meu pique era tão atrapalhado que caí por cima de suas pernas, jogando areia nas suas amigas. Ela ficou brava comigo. Nem fez menção de me levantar do chão.

– Que falta de educação é essa, Gabriela? – questionou, reclinando-se na cadeira.

– Mãe, o homem que estava agorinha na minha frente tem mais de 2 metros e anda sobre a água! – gritei, apontando para onde eu tinha estado.

Minha mãe não sabia onde enfiar a cara. As amigas assistiam à cena em silêncio. Umas achando graça, outras mais sérias, pensando que eu apenas queria chamar a atenção de minha mãe, como uma criança mimada. Algumas cabeças curiosas se voltaram para o local indicado pela mãozinha morena. Ninguém vira nada.

Meu pai, que fumava um cigarro à beira-mar e estava de olho em mim o tempo todo, aproximou-se para resolver o problema. Pediu licença às mulheres e me colocou no colo, convidando-me para retornar ao mar com ele.

– Quero ver o tal homem gigante, filha – disse, fingindo seriedade.

– Então corre, pai! Senão ele vai embora! – respondi, aflita.

Chegamos ao local exato onde o fato tinha ocorrido. Sem ver homem nenhum, meu pai sentou-se na beira d'água ao meu lado. As marolas tocavam nossos corpos. Coloquei minha pequena mão esquerda na testa, para, como uma viseira, bloquear o sol, enquanto procurava pelo sujeito. Um minuto se passou e não o localizei.

– Pai, acho que ele sumiu... Talvez tenha flutuado para o céu. Ou, então, foi embora por baixo da água mesmo – comentei, desolada.

– Minha filha, é muito feio inventar histórias desse tipo. Especialmente falar bobagens perto das pessoas mais velhas. Assim você coloca sua mãe numa situação muito ruim diante das amigas. Não pode! Você entende? – perguntou ele, paciente.

– Pai, é tudo verdade! Ele me encarou com aqueles olhos azuis pequenos... Era muito grande. Vestido de azul. Nariz apontando para baixo... assim, ó! Tinha lábios cor de rosa, bem fininhos. Estava em pé sobre o mar, mas não estava molhado... Não sei para onde ele foi! Também não ia ficar aqui parado em cima da água esperando você chegar!

Cruzei os braços, emburrada.

– Tudo bem, vamos esquecer isso. Nunca mais faça ou diga algo parecido para a sua mãe, entendido? – perguntou ele, mais relaxado.

– Entendido – respondi, muito a contragosto.

Sabia que era uma promessa que não seria cumprida. Por ora, todavia, estava derrotada.

Nós nos levantamos. Ele me deu a mão e começamos a caminhar na areia mais dura. Meu pai ainda estava de bom humor, apesar de tudo. Seu interesse por mim era genuíno. Parecia mesmo se divertir com as diabruras da filha. Já eu queria dar a impressão de que tudo estava esquecido, evitar conflitos com minha mãe, que não levava as coisas na esportiva.

– Você parece um peixe dentro da água. Nada veloz mesmo, menina! Já falei com a sua mãe: amanhã, antes de ir ao trabalho, vou levar você ao Fluminense, para a escolinha de natação do clube – avisou, sorrindo.

– Vou adorar! Muito obrigada, pai! – gritei, saltando de alegria.

Por essa eu não esperava. Era um sonho: nadar no Fluminense! Quem sabe, depois de algum tempo, eu não conseguiria nadar até as ilhas?

Nunca mais vi aquela figura gigantesca que trajava azul e pairava sobre o mar de Copacabana. Sentia, contudo, que sua presença era constante no início da minha vida. Algo que se erguia por sobre meu ombro direito, trazendo uma atmosfera de paz, onde quer que eu estivesse. Durante as manhãs de competição, antes de entrar na piscina, pedia mentalmente que ele me ajudasse.

Por tanto admirar a imagem do Anjo de Portugal, concluí que o homem descomunal era também um anjo. Com o passar do tempo, pouco importava se ambos não tinham asas. Como diria meu pai, eu jamais havia encontrado um sujeito que tivesse visto um, face a face, para tirar a dúvida.

As freiras do colégio nos diziam insistentemente que era importante rezar pela manhã, ao acordar, e também à noite, antes de dormir. Ensinaram-nos o Pai-Nosso e a Ave-Maria. Aprendi também a oração do Santo Anjo da Guarda. Não entendia muito bem quem ele era. Todos os dias, quando a recitava, pensava nos dois anjos que conhecia. Era possível uma criança ter dois anjos da guarda?

Eu me destacava na natação. Treinava com afinco e adorava competir. Quando completei 10 anos, participei de uma travessia na baía de Guanabara. Meus pais estavam um pouco apreensivos, achavam que não era coisa para uma menina. Eu estava muito excitada por poder participar da prova com outras amigas. Além do mais, era a maior piscina natural que já tinha visto!

Os responsáveis pela equipe do Fluminense nos disseram que a profundidade máxima do local da prova podia atingir algo próximo a 20 metros. Nossa! A piscina em que eu treinava só chegava a 2 metros... De tanta excitação, eu não conseguira dormir direito na semana anterior à competição. Sonhava em ver baleias, tubarões e peixes ao meu redor enquanto nadava.

– Já pensou, pai, uma baleia bem grande do meu lado? Você já viu alguma de verdade?

– Sim. Certa vez, em Cabo Frio, quando saí de barco para uma pescaria com amigos. O vento estava muito frio e o mar era gelado. Conseguimos pescar alguns peixes. De repente, vi um jato d'água subir do mar, levei um susto! Aí, ela colocou a cabeça para fora e se projetou para a direita, levantando uma onda – descreveu ele, gesticulando.

– Pai, você não pulou na água para nadar com ela? Você sabia que as baleias falam uma língua e são amistosas? Vai ver ela estava fazendo um convite para vocês. Poderia querer companhia para o nado...

Ele caiu na gargalhada.

– Filha, sinceramente, acho que a baleia tinha outros amigos bem maiores do que eu... Pelo que sei, não costumam nadar sozinhas. Alguns pesquisadores têm dito que as baleias se comunicam através de sons, mas não aprendi a falar a língua delas ainda.

Ele me olhou com carinho e afagou por um tempo meus cabelos lisos e negros que escorriam pelos ombros.

– Será que vou ter a chance de ver alguma durante a travessia? – perguntei, séria.

– Não, querida, me parece que não. A baía de Guanabara não é exatamente o mar aberto. Peixes, sim. Mas você não vai ter tempo de olhar os bichos, vai estar concentrada nos seus adversários. – respondeu, ainda me acariciando.

– Na hora eu vejo! A prova é longa. Dá para me distrair um pouco enquanto tomo fôlego.

Olhei para ele e percebi novos fios de cabelo branco e marcas de expressão em sua testa vermelha, pois ele abusava do sol.

Meu pai percebia que eu estava crescendo. Tratava-me com muito carinho, mas fazia questão de me mostrar que eu me tornava uma mocinha. Conversávamos sobre os mais diversos assuntos, inclusive sobre os meninos do colégio. Tinha muita paciência comigo e dizia que eu era muito bonita. Sentia-me desengonçada e envergonhada pelo corpo em modificação.

Quando ia a alguma festa, ou mesmo colocava o uniforme para os dias de competição, eu perguntava logo a opinião do meu pai. Ele tinha bom gosto e era sóbrio. Não queria parecer "perua" como a minha mãe, sempre enfeitada. Claro que eu desejava estar bela, mas sem exageros. Entretanto, perdia muito tempo com o meu cabelo. Pensava até em mudá-lo, pois algumas meninas que competiam comigo o usavam curto, por ser mais fácil de colocar a touca. Mas meu pai dizia que gostava dele daquele jeito, então eu deixava.

– Acho que deveríamos proibi-la – ouvi minha mãe falando por detrás da porta do quarto. – É perigoso. Ela não entende o risco porque é muito menina.

– Vejo nos olhos dela que a vontade de participar é genuína, meu amor. Ela adora competir! Além disso, todas as amigas vão participar. Gabriela tem essa característica forte: é muito corajosa. Não vou ser o único pai medroso... – respondeu meu pai, um pouco irritado.

– Isso é coisa para homem, Carlos. Acho que eu deveria ter dado um filho para você. Essa garota é desse jeito por sua causa. Essa coisa de incentivá-la a encarar desafios e se meter em aventuras... Veja o corpo dela! É forte demais para a idade! – replicou minha mãe em voz baixa mas bastante firme.

– Cristina, o corpo da menina é ótimo. Ela já está quase do seu tamanho. É bem feminina. Tem um rosto lindo, parecido com o seu. A coragem para enfrentar o mundo é que não veio de você! – exclamou meu pai, mais agressivo.

– Mulher é coisa delicada, Carlos. Você quer que ela se porte como um menino! Está errado. Por que não cortamos essa história de natação e travessias? Ela deveria estar no balé clássico!

– Espere um instante! Você sabe que eu tentei. Levei nossa filha ao balé. Ela até achou bonito, mas disse que não podia perder os treinos da natação.

– As filhas das minhas amigas são tão mais delicadas...
Minha mãe deu um sonoro suspiro de cansaço.

– Não venha com essa conversa ridícula! Cada ser humano é diferente. Você já reparou quantas meninas fazem parte da equipe do Fluminense? Como elas são bondosas e bonitas? Que besteira! – meu pai elevou a voz.

– Com ombros muito largos, Carlos! Quer saber? Faça como você achar melhor, então!

A porta do banheiro da suíte bateu. A conversa estava encerrada. Preferi não entrar lá. Fui ver televisão. Não gostava de não ser bem aceita pela minha mãe, mas sabia que não fazia sentido debater sobre minha vida esportiva naquela hora. Eu queria muito competir e poderia pôr tudo a perder.

Num domingo de sol, bem cedo, foi dada a partida. A água era tão escura que não dava para enxergar nada! Precisava tirar a cabeça no momento da respiração para poder olhar e, mesmo assim, no início da competição, era muito difícil identificar a direção que eu estava tomando. Era uma mistura de pernadas e braçadas, todos muito próximos uns dos outros.

Estranhei um pouco. Estava acostumada a nadar entre raias, sem marolas. Percebi que precisava me distanciar do bolo de gente. Acelerei bastante e fui me desvencilhando dos demais. Consegui um espaço mais sossegado. Pude desenvolver meu ritmo de braçadas. As pernadas eram mais esporádicas, apenas para manter meu quadril o mais perto possível da superfície.

Em determinado momento, me senti estranhamente acompanhada. Quando respirei para o lado esquerdo, erguendo um pouco a cabeça, vi golfinhos que nadavam próximos. Meu coração disparou. Não pude conter o riso. Perdi a sincronia das respirações e acabei bebendo um pouco de água. Demorei alguns segundos para voltar ao normal!

Contei pelo menos cinco golfinhos. Eram cinzentos e davam saltos, passando uns por cima dos outros. Pareciam muito felizes. Minha alegria era tanta que meus braços e pernas ficaram mais leves! Minhas costas, sobrecarregadas com o esforço físico, relaxaram. A euforia tomou conta do meu corpo, meu nado parecia render muito mais.

Que presente! Era minha estreia naquele tipo de competição e eu estava no paraíso. Adorava vê-los na TV. Era fã do Flipper. Meu prêmio estava garantido! Mesmo em meio à chuva fina e ao frio do sul da França, bem mais velha, com todos os problemas na cabeça, eu ainda conseguia sentir o sabor salgado do prazer que vivenciara na infância.

O show que os golfinhos me proporcionavam durou por algum tempo. Em certo momento, bem no meio deles, meus olhos pareceram avistar... uma sereia! Bebi mais um tanto de água. A garganta chegava a arder de tanto sal. Precisei parar um pouco para respirar. Dois nadadores me ultrapassaram. Olhei de novo e não vi mais nada. Prossegui. Cheguei entre os dez primeiros.

– Minha filha, você foi muito bem para sua primeira travessia! Está muito cansada?

Na areia, de bermuda cáqui e camiseta branca, meu pai me abraçava enquanto eu saía da água.

– Pai, não me sequei ainda! Você vai ficar todo molhado e amassado!

– Estou muito orgulhoso. Cheguei a pensar...

Ele se interrompeu rapidamente.

– Sei... Você achou que, por ser menina, eu não conseguiria completar o percurso ou terminaria nos últimos lugares! Olha, tem muito garoto que ficou para trás! – respondi, toda orgulhosa.

– Verdade! Não era isso que eu ia dizer, não... Você é minha campeã desde que usava fraldas!

– Olha, nadei com alguns golfinhos na baía hoje! – disse com um sorriso aberto.

– Sério? Que legal! Ouvi alguns meninos comentarem aqui na areia com os pais que a baía estava repleta de golfinhos. Eram bonitos?

– Muito. Adorei, pai! Eles acompanhavam meu ritmo direitinho. Eram acinzentados e davam saltos ao meu lado, sem me atrapalhar. Acho que gostaram de mim!

Soltei uma gargalhada.

– Viu só? E você fez mais do que eu naquela história da baleia em Cabo Frio. Eu não pulei na água, tive medo – falou ele, rindo.

– Tem outra coisa, pai... No meio deles, vi uma sereia. Bem, pelo menos acho que vi...

– Quê?! Haja criatividade. Misturar golfinhos com sereias! Os golfinhos, tudo bem, há testemunhas, mas sereias?! É brincadeira, né, Gabriela? Olha: você não tem mais idade para isso.

Ele deu um sorrisinho.

– Não, pai! Quer dizer... Não sei bem... Eu estava nadando com os golfinhos e, numa das respirações, percebi aquela mulher no meio deles... Pele muito branca, cabelos negros, com alguma coisa cobrindo-os, olhos azuis penetrantes e um sorriso diferente! Só vi a cabeça dela saindo da água. Pelo que sei, só pode ser uma sereia!

Eu estava muito confusa e ele ficou em silêncio.

– A única coisa que me pareceu estranha – continuei –, além da pele branca que brilhava, é que eu podia ver através dela. Um fantasma de sereia?

– Fantasma de sereia?! É a primeira vez que ouço um troço assim! Melhor acabar com esse papo. Vamos lá, se seque. Essa sua paixão pelas águas está deixando você um pouco fora dos eixos! Até sereias anda vendo... Vai ver você nasceu de uma! – brincou meu pai.

Ao entrar em casa, encontrei minha mãe, que havia retornado logo após a largada. Ela não quisera ver a prova, pois não concordava com aquilo, e agora me esperava ansiosa. Abraçou-me e disse friamente não ter dúvidas do meu sucesso. Fingi acreditar. Contei a história dos golfinhos e acrescentei a da sereia, para desespero de meu pai.

– Só falta você dizer que é uma ondina! – exclamou minha mãe, sem perder a pose, sem reagir da forma drástica que meu pai esperava.

– Quem? – respondemos, em coro, eu e meu pai.

– Não conhecem? Ondinas, seres da mitologia germânica. Elementais da água. Detinham o poder de controlar as ondas e as marés. Acompanhavam os marinheiros nas viagens. Eles as avistavam dos barcos. Alguns, encantados com sua beleza, atiravam-se no mar e se perdiam. Vai ver é por isso que você aprendeu a nadar praticamente sozinha e com 4 anos já não usava boias na piscina ou na praia. Quanta ignorância! – concluiu minha mãe, perdendo a paciência.

– Quer saber? Talvez seja isso mesmo, mãe! Ela me acompanhava como se eu fosse um marinheiro. Legal saber que eu também vi uma sereia! Pensei que vivessem só nos contos de fadas, mas elas existem! – exclamei, exultante, do alto da minha sabedoria pré-adolescente.

– É... Agora não falta mais nada – disse minha mãe, suspirando.
– Talvez seja o caso de levar você para uma das minhas colegas de faculdade. Uma análise faria bem... – acrescentou, séria.

– Calma, querida. Essa menina tem imaginação fértil. Desde pequena vem com essas histórias de visões... Fantasmas, anjos, sereias. Ah, faltaram os extraterrestres! – falou meu pai em tom zombeteiro, tentando desviar a atenção da mulher.

– Bem, meu amor, não é a primeira vez que ouvimos histórias mitológicas dessa mocinha. Nem no meu curso de psicologia eu tive contato com tantas! Deve ser algo comum entre as meninas de hoje, com tantos filmes bobos para adolescentes e contos de fadas.

Meu pai não estava apreciando o rumo da conversa e lhe lançou um olhar severo. Ela não gostou da ousadia do marido. Quem mandava lá era ela!

Ela fuzilou o marido com os olhos e continuou:
– Agora me lembro do dia em que a sua mãe disse que vira Nossa Senhora de Lourdes em pé no sofá da sala dela enquanto rezava o rosário. Lembra? A mania dessa menina pode ter sido herdada.

– Mas aí é diferente! Nossa Senhora de Lourdes não é um ser da mitologia grega ou germânica nem matéria inútil da sua faculdade de psicologia.

– É visão do mesmo jeito! Ou será que você já viu um desses seres? Aliás, não sabia que você acreditava em Nossa Senhora de Lourdes – provocou minha mãe, com um sorriso desdenhoso.

– Claro que não acredito! Tudo não passa de fantasia. Minha mãe, que Deus a tenha, era uma carola, por isso seu inconsciente pregava essas peças. Coitada... Ela viu a tal Virgem porque precisava muito de consolo naquele momento. Meu pai tinha acabado de morrer. Óbvio que não houve nenhuma aparição, ainda mais no sofá! Você puxa uns assuntos sem sentido...

Ele deu um tapa no ar, demonstrando que estava indignado, e lhe deu as costas.

– Mãe, não sabia que a vovó também podia ver coisas que vocês não conseguem! Pena que ela já morreu... Gostaria de conversar com ela sobre essa tal Nossa Senhora – afirmei, toda interessada.

Mal podia prever que, depois de tantos anos, mulher feita, eu estaria dentro da casa da própria.

– Chega! Vai para o banho, garota! Carlos, vá se arrumar! Estamos atrasados para o almoço com minhas primas. Temos que chegar a São Conrado no máximo às duas – encerrou minha mãe com a cara fechada.

Por conta da atitude descrente e nada receptiva dos meus pais, nunca mais falei sobre anjos com eles. Ondinas ou sereias eram assunto proibido também. Não queria causar nenhum tipo de constrangimento na minha família. Não gostava de vê-los brigar, especialmente se o motivo fosse eu. Melhor o silêncio.

Quando ingressei na faculdade de psicologia, precisei abandonar o esporte. Eu, que treinava de segunda a sexta em dois turnos, passei a nadar apenas três vezes por semana, bem cedo, antes das aulas, para manter a forma física. Foi uma mudança e tanto! Como eu sentia falta da água...

Durante minha graduação, passei a reavaliar muitas das minhas crenças dos tempos de infância e adolescência, mesmo porque as visões não aconteceram mais. O evento da praia de Copacabana, por sua vez, permanecia nítido na minha memória, mas achei melhor negá-lo! Poderia ser coisa de uma mente fértil e infantil, além do efeito do cansaço físico.

A visão da ondina em plena baía de Guanabara tinha ocorrido anos mais tarde. Também não havia uma explicação plausível para aquilo. Resultado: coloquei-a no mesmo compartimento do anjo azul da praia. Talvez fosse a sequência de respirações atrapalhadas pelas ondas e o esforço da travessia aquática. Ou então, encantada com os golfinhos, acabara ativando minha imaginação pré-adolescente e vendo também um belo ser mitológico. Toda menina adora uma sereia!

Para minha surpresa, uma das matérias que precisei cursar na faculdade era mitologia. Naquele semestre, fui selecionada pelo professor para fazer um trabalho sobre a mitologia germânica. Na hora sugeri o tema: ondinas. Ele adorou. Fechei a matéria com nota 10. Pelo menos, minha experiência e a indignação da minha mãe me renderam uma bela vitória.

Em minhas pesquisas, descobri que, ao longo dos séculos, muita gente alegava ter visto tais seres. Alguns em alto-mar, outros em lagos, riachos ou quedas-d'água. Porém, as gravuras dos livros não se pareciam em nada com aquilo que estava na minha memória.

Com o passar do tempo, eu me desliguei dos assuntos metafísicos. Anjos e sereias ficaram de vez no passado. Até as orações ao anjo da guarda não ocorriam mais. Estava mais interessada nas emoções humanas. Começava a vivenciar um novo mundo. Fazia estágio na universidade, no consultório de psicologia, atendendo pessoas de uma comunidade carente. Ao mesmo tempo, frequentava minhas sessões de psicanálise. Como meu pai, me afastei de tudo que remetia a religiosidade.

CAPÍTULO III

Namoro

       *E*u caminhava pela Avenue du Paradis enquanto alguns turistas abriam seus guarda-chuvas. Fina e sem direção, a chuva deixava o asfalto com um brilho diferente. Recordei-me das manhãs nubladas no Rio de Janeiro, quando meu pai me levava ao treino de natação bem cedo e eu sentia muito frio. Era particularmente difícil o momento em que tirava o roupão e, somente de maiô, me dirigia à piscina.

Cruzei a Avenue Peyramale e apressei o passo. Não era hora de ficar olhando as vitrines e observando a massa de gente que, num vaivém incansável, atravessava a minha frente. Queria chegar logo à entrada do santuário. Estava tão ansiosa que minhas pernas pareciam se embolar, dificultando a caminhada.

Passei para a outra calçada e alcancei a Rue Saint-Joseph. Percebi que a aglomeração ali era muito maior do que perto do hotel. Parecia estar numa comunidade de formigas.

O comércio também era intenso. Muitos fiéis buscavam lembranças de sua estada em Lourdes. Outros queriam souvenirs para amigos e familiares. Havia rosários pendurados nas entradas das lojas; imensos crucifixos e santos de todos os cantos do mundo representados em gesso, pedra, louça, tela ou papel; incontáveis imagens da Virgem de Lourdes – algumas exatamente iguais à que minha mãe tinha em casa, outras de um modernismo exagerado.

A Avenue Monseigneur Théas estava apinhada de gente! Meu coração disparou. Estava a poucos metros de me deparar pela primeira vez com o Santuário de Nossa Senhora de Lourdes. Avistei logo uma imagem de pedra de São José com o Menino Jesus nos braços ao lado do grandioso portão de metal, que estava aberto, convidando todos a entrar.

Minha mente, em devaneio, começou a transitar pela minha infância de novo. Logo me recordei do primeiro dia em que ouvi sobre a anunciação da encarnação de Jesus. Era, para a felicidade de toda criança, uma história sobre um anjo!

– Crianças, silêncio! No sexto mês, o anjo Gabriel foi mandado por Deus a uma cidade na Galileia, chamada Nazaré, para encontrar uma virgem, Maria. Entrando em sua casa, ele a saudou, chamando-a de cheia de graça, e pediu que ela não tivesse medo, porque Deus a tinha abençoado e, pela ação do Espírito Santo, lhe daria um filho: Jesus!

Lembro que a história foi contada pela simpática irmã Clara, num tom musical. Era a nossa catequista na primeira série. Tinha um amor todo especial por Nossa Senhora de Lourdes! Eu, pequena ainda, só gravei na memória a passagem bíblica por causa da presença do arcanjo Gabriel. Além da Bíblia, a freira havia trazido para a sala de aula um quadro antigo que retratava a anunciação do Verbo Encarnado. Colocou-o em cima da mesa do professor e sentou-se ao lado dele.

Fiquei muito impressionada. O ser angélico estava ajoelhado em frente a Nossa Senhora e trajava uma túnica azul. Igual à do meu gigante de Copacabana! A diferença era que o artista o representara com asas. Daquele dia em diante, a figura imponente de olhos azuis, pele reluzente, lábios rosados e cabelos de água ganhou um nome em minha mente: arcanjo Gabriel.

Depois de tantos anos deixado de lado, eu o resgatei. Pensei nele ao dar meu primeiro passo dentro do santuário. Aproveitei para fazer minha saudação a Maria: "Ave, cheia de graça!" Pedi que ambos me ajudassem em um momento tão difícil. Na época da faculdade, não sabia o que o destino tinha preparado para mim. Anos depois, bem mais velha, tinha muito medo do futuro. Gostaria que o meu arcanjo favorito trouxesse uma notícia agradável aos meus ouvidos, como fizera com Maria.

Percorri um pequeno declive de cimento. Diante de mim, surgiu a bela estátua da Virgem de Lourdes coroada. Ela domina uma imensa pista oval que liga a Basílica do Rosário ao Portão de São Miguel, outra entrada para o santuário, por sobre uma ponte que atravessa o rio Gave.

Quando meus olhos se fixaram na beleza daquela cena, senti uma presença enorme por cima do ombro direito. Uma sensação de proteção e amor. Minha pele parecia ser banhada pela água... Cheguei a me arrepiar levemente. Levantei os olhos, procurando a fonte de tudo aquilo, mas não estava mais chovendo! Era exatamente a mesma sensação que eu tinha quando era uma garotinha. Tentei conter minha excitação; talvez fosse tudo psicológico.

Após tantos anos longe de Deus, precisava reencontrá-lo com urgência. Meu tempo estava se esgotando. Eu pautara meus últimos anos pela racionalidade, mas agora a colocava de lado. Não me servia mais. Na verdade, ela me condenava à morte! O momento era oportuno para reatar os laços espirituais que foram rompidos, entre outras coisas, pelos traumas e perdas que havia sofrido nos anos anteriores. O elo seria o santuário e agora minhas memórias voltavam...

– Filha, me ajude aqui... Isso. Ponha a almofada embaixo das costas. Assim.

Percebi que, quando a veste azul acinzentada se abria um pouco, podia ver todas as escaras na pele branca de meu pai. Meu coração se apertava tanto que doía.

– Gostaria que você me trouxesse alguma coisa interessante para eu ler. Pode ser?

A tosse dele recomeçou, intensa.

– Pai, não precisa falar nada; eu sempre procuro algum livro legal para você ler. Deixe comigo. Sei que o livro atual está no fim. Poupe sua voz, está bem? Quer que eu ligue um pouco a televisão?

Eu tentava fazer cara de tranquilidade, mas os acessos de tosse dele me esfaqueavam por dentro.

– Não há nada que preste nesse negócio! Filhota, olhando para a mesa com a garrafa de água e o copo de plástico que a enfermeira colocou aqui, do lado da cama, tenho muita saudade do meu escritoriozinho...

Seu olhar era de quem buscava algo na memória.

– Sei... Mais alguns dias e você vai ser liberado para ir embora. Posso preparar o escritório com a mamãe. Está precisando de uma bela faxina, mas nada que não possamos resolver.

Abri um largo sorriso para ele. Pensei que seu desejo de ir embora poderia ser um sinal positivo. Talvez tivesse a esperança de se recuperar em definitivo da doença.

– Ir para casa... – Ele deu um sorriso débil e fixou em mim os olhos abatidos. – Isso mesmo, meu amor, isso mesmo... – completou meu pai, descrente. – Sabe aquela imagem do sujeito com cabelos esvoaçantes, segurando a hóstia e o cálice? Aquela que tem na minha escrivaninha?

Seu olhar se tornou mais vívido, mas sua aparência era permanentemente dolorosa.

– O Anjo de Portugal da vovó?

– Gostaria que você o trouxesse. Eu o quero aqui perto de mim, em cima dessa mesa aí – respondeu, apontando para o móvel.

Então, começou a inspirar com bastante força, como se sufocasse. Fechou os olhos para tentar dominar o corpo rebelde que lhe escapava do controle.

– Quando eu voltar do estágio, hoje pelo fim da tarde, vou trazê-lo.

Com que finalidade aquele homem, até onde eu sabia, ateu, queria que uma imagem de anjo o acompanhasse no hospital? Teria se convertido diante da doença? Pior, estaria enlouquecendo?

– Pai, posso fazer uma pergunta?

Eu o olhava bem de perto, para ter certeza de que respirava mais tranquilo e estava bem consciente.

– Claro, Gabriela.

Ele tinha os olhos abertos, porém focando o teto do quarto.

– Você acredita em anjos? Sempre pensei que não gostasse de nada que fosse religioso... – indaguei suavemente para não ofendê-lo.

– Não se trata de acreditar. Eu estou me sentindo muito só. A imagem remete à minha mãe, tem um valor sentimental, digamos assim.

Ele fechou os olhos, como que evitando o debate.

– Mas, pai, eu e mamãe estamos sempre por aqui com você. Alguns parentes vêm visitá-lo, as enfermeiras são muito atenciosas. Você não está sozinho nem um minuto do seu dia ou noite!

Não gostara de sua resposta. Parecia que não tinha pessoas que o amavam, só importava sua falecida mãe.

– Vou lhe dizer uma coisa muito séria: a gente nasce e morre sozinho... – falou ele em voz calma, com os olhos ainda fechados.

A respiração havia se estabilizado. As mãos repousavam serenas ao lado do corpo deitado no leito.

Não lhe dei resposta. Foi um choque para mim. Meu pai estava morrendo e tinha plena consciência disso. Eu não queria enfrentar essa situação e vivia dizendo para mim que a medicina, muito evoluída, iria dar uma solução para o câncer que tinha se desenvolvido em seu pulmão.

Depois daquela conversa, não tinha mais certeza de que ele esperava voltar curado para casa. Muito pelo contrário. O objeto desejado parecia ser um troféu, que relembrava bons momentos de sua vida: sua família, seu trabalho, sua trajetória. Algo que gostaria de ver e tocar antes da morte para armazenar no profundo do espírito. Enfim, ele considerava nunca mais retornar.

– Vou ao banheiro rapidinho e já volto, pai.

Desviei o rosto e me afastei depressa para que as lágrimas não molhassem sua cama nem deixassem um rastro no quarto. Entrei soluçando no banheiro. Abri a torneira e, com as mãos em concha, banhei o rosto com água gelada. Precisava me recompor. Minha mãe estava para chegar e meu pai não podia me ver derrotada daquela forma.

– Tenho pensado em algumas coisas – acrescentou ele, olhando-me fixamente, logo que me viu sair do banheiro. – Uma delas é a forma como criei você: uma atleta! Sem bebida alcoólica ou cigarros. Fiz muito bem, apesar da oposição da sua mãe. Ela queria uma madame. – Ele deu uma risada de desdém. – A prova de que essas coisas não prestam estão no meu corpo. Fumei e bebi desde os 17! Agora, com 54, estou acabado e consumido por tudo o que fiz.

Ele riu, como que debochando do próprio destino.

– Calma, pai. Muita gente bebeu e fumou a vida toda e não morreu de câncer. Não é você que vai! – exclamei, sem nenhuma convicção.

Examinando minha memória, não conseguia encontrar nenhum exemplo. Nenhum dos fumantes que conhecera tivera vida longa. Todos haviam falecido de algum tipo de doença complicada que tinha relação com vício. O problema é que aquele era meu pai. Queria vê-lo curado, acima de tudo.

A porta se abriu em silêncio. Minha mãe chegou com um sorriso para ele e um olhar investigativo para mim. Entendi que ela estava desconfiada do meu rosto. Já havíamos conversado em casa sobre lágrimas e lamentações perto do doente: eram absolutamente proibidas, pois o abalariam, causando um desfecho que nenhuma de nós queria.

Na semana seguinte, diante de todos os exames realizados, o médico nos explicou que nada mais poderia ser feito por Carlos. Era melhor levá-lo para casa. A morte se aproximava veloz e o conforto do lar era imprescindível. Uma questão de caridade. No quarto de casal, montamos um pequeno hospital, esperando o último dia do meu pai.

Tudo isso teve um efeito devastador sobre minha mãe. Ela sempre fora uma mulher sóbria, mas começou a beber no almoço e no jantar. Ao mesmo tempo, por mais que parecesse contraditório, passou a frequentar um grupo de orações na igreja, formado por onze mulheres que se reuniam toda sexta-feira às três da tarde.

Em algumas ocasiões, a reunião delas era lá em casa, diferente de tudo o que eu já havia presenciado: cantavam, rezavam o terço, liam passagens bíblicas e davam testemunhos de fé. Era o único momento do dia em que o semblante da minha mãe exibia confiança, relaxamento. Ela até aparentava estar feliz.

O inexplicável era que, passados meses da alta do hospital, meu pai não falecera como haviam prenunciado os médicos. Desse modo, eles pararam de fazer previsões a respeito de sua partida. Não estavam mais seguros como de hábito. Em contrapartida, as senhoras do grupo de oração diziam que ele ficaria curado. Eu bem que queria...

– Filha, há cinco dias o Eduardo não vem aqui em casa. Ele não quer me fazer uma visita? Será que sou um cara tão chato assim? – perguntou meu pai com ar brincalhão, mas a intenção era séria por trás do fio de voz.

Completamente desconcertada, surpresa com a precisão do tempo da ausência do meu namorado, respondi:

– Ele vem aqui hoje depois do trabalho.

Ele me olhou em silêncio. Parecia estar me estudando. Tocando sua fronte com delicadeza, acrescentei:

– Vem jantar conosco e dar um abraço em você.

Lembro-me do sexto semestre da faculdade. Um rapaz alto, magro, cabelos negros despenteados, de calça jeans surrada e camiseta dos Beatles... Lá vinha ele com seu andar levemente gingado, de quem não tem interesse em nada e não presta atenção no que faz.

Sentava-se sempre ao meu lado na roda de amigos, em meio aos pilotis da PUC-Rio. Fingia que não me olhava. Volta e meia, provocava-me com algum gracejo. Vivia tocando no meu braço, simulando beliscões... Bobo! Eu o adorava, mas sem dar muita corda. Não tinha certeza das intenções dele.

Olhares se cruzavam, nos esbarrávamos frequentemente, inclusive quando caminhávamos juntos, e sempre sentávamos lado a lado nas aulas e nos intervalos. Quando nos aproximávamos muito, eu corava levemente e o olhar dele se tornava penetrante. Eduardo ajeitava a enorme franja com a mão esquerda e fazia ar galante.

– Esse negócio que você passa ao redor dos olhos, o que é? – perguntou uma vez, meio displicente, fingindo não saber.

– Nada, garoto! Um lápis preto, algum problema?

Eu olhei alegre em seus olhos, comprimindo os lábios, levantando a sobrancelha esquerda e cruzando meticulosamente os braços. Queria parecer entediada e seca, porém o sorriso incontido e o brilho nos olhos me entregavam.

– Não! É maneiro! Eles ficam mais redondos, sei lá...

Ele fixou bem o olhar e se inclinou um pouco para a frente, encurtando a distância entre nossos corpos. Eu cheguei para trás.

– Como você é bobo! – respondi sem conseguir tirar o sorriso dos lábios.

Empurrei seu peito largo com as duas mãos para obter mais espaço. Senti até que meus olhos se encheram um pouco de água.

– Esse lance por cima dos olhos... Esse aí, azulado... – Ele encostou de leve o indicador direito perto da minha pálpebra esquerda. – Dá um efeito legal em você. Combina com a sua blusa, né?

Mais próximo... Eu escorreguei no banco, procurando uma rota de fuga. Meu coração veio na boca. A respiração era toda atabalhoada. Mãos espalmadas na altura do peito, em sinal de alerta, esperando um ataque qualquer.

Morri de medo de ele perceber o leve tremor das minhas mãos e pernas. Levantei-me bruscamente, segurando, nervosa, o colar azul emaranhado em meu pescoço, encerrando a investida.

– Chega! Hora de voltarmos para a sala. A aula de antropologia já está começando. Venha, deixe de ser preguiçoso!

Ele apenas sorriu com o canto da boca e se levantou do chão, me olhando um pouco de lado. Por fim, obedeceu e foi atrás de mim.

Em um sábado, fomos à casa de uma colega de turma, Carol, para fazer um trabalho de filosofia. Havia mais duas pessoas no grupo. Ele se sentou no sofá ao meu lado. O restante se acomodou em duas cadeiras e no chão. Formávamos uma espécie de círculo, com as cartolinas espalhadas no meio. Discutíamos a forma da apresentação, que aconteceria na segunda-feira.

Depois de uma hora, ele parou de prestar atenção nos debates e passou a me olhar fixamente. Não ligava para o que os outros iriam pensar. Mesmo nervosa, eu não me atrevia a olhar na direção dele e mantinha minha concentração no trabalho.

– Gosto do seu perfume – disse de repente, aproximando o nariz dos meus cabelos impiedosamente.

– Pare com isso! Todo mundo vai ver que você é um abusado! Preste atenção no trabalho! – reclamei, empurrando seu ombro e virando minha cabeça em direção aos outros colegas.

Minha respiração estava alterada. A mão dele começou a escorregar pela borda alta do sofá, como uma serpente lenta que busca abrigo. Deslizei para o canto. Esbarrei no braço do sofá. Era o limite máximo que, sentada, conseguiria atingir.

– Tire essa mão daí! – sussurrei entre os dentes, sem desviar o olhar do grupo. Meu peito estava em chamas.

– Só estou ficando um pouco mais à vontade. O que tem de mais? Estou incomodando? Nem estou tocando em você... apesar de querer muito!

Ele sorriu sem disfarce.

– Carol, posso ir até a cozinha tomar alguma coisa? Não precisa se levantar, não, eu me sirvo. Alguém quer que eu traga água?

Levantei-me em um salto, pondo-me imediatamente a caminho, passando pelo meio do grupo. Era a única forma de esmorecer seu ímpeto.

Trêmula, abri a geladeira e peguei uma garrafa de vidro, derramando um pouco do conteúdo no chão da cozinha. Apoiei-a no móvel lateral e, quando me virei para pegar um copo no armário, dei com o nariz no peito dele.

– Ai, meu nariz!

Fechei os olhos com raiva, levando as mãos ao rosto. Não podia acreditar que ele estava atrás de mim o tempo todo, silencioso como um lince ao caçar.

– Me deixe ver...

Pegou minhas mãos e as pousou na própria cintura. Rapidamente, tomou meu rosto, me puxou para si e... roubou um beijo! Não tive palavras. Faltou-me ar. Empurrei-o e voltei, cambaleante, para a reunião.

– Cadê a água que você ia trazer, Gabi? – perguntou Artur.

Nem lembro bem o que respondi. Então me ofereci de novo para lhe pegar um copo. Ele recusou e o pessoal decidiu fazer um intervalo para o lanche. Fui até a janela que dava para a rua e respirei fundo. Estava abalada.

A mão veio pela minha cintura e me puxou até colar no corpo dele. Outro beijo atingiu a face direita. Interpus o cotovelo direito entre nós e, empurrando suas costelas, tentei ganhar fôlego.

– Está louco?

Encarei-o, brava, apesar de um ciclone de emoções me devastar por dentro.

– Louco por você!

Eduardo tentou me beijar na boca. Esquivei-me e, de novo, seus lábios acertaram minha maçã do rosto.

Girei sobre os calcanhares, parti em direção à cozinha, onde os outros estavam, e fiquei bem junta da Carol. Passei o resto do trabalho sentada ao lado dela. Ignorei-o totalmente. Não deixei escapar sequer um olhar. Na hora de ir embora, Eduardo me segurou pelo braço e me trouxe para bem perto.

– Gabi, posso levar você em casa? Estou de carro. Por favor?

Ele me deu um olhar de cachorrinho abandonado.

– Tudo bem! Mas se comporte!

Olhei dentro dos olhos dele, meio perdida, escondendo as mãos atrás das costas. A tremedeira recomeçara.

Descemos de elevador com os outros. Ele parecia hipnotizado pelo meu rosto. Eu olhava para o chão, constrangida, sem saber como administrar a situação. Sabia que o grupo já percebera tudo, mas se fazia de desentendido. Na verdade, toda aquela situação já vinha se desenhando havia um tempo. Eu era a única que tinha dúvidas, mais ninguém.

Como um cavalheiro, ele abriu a porta do carro para eu entrar. Sentei-me e inspirei fundo enquanto o observava contornar o automóvel e se sentar ao meu lado. Sorriu docemente e deu partida.

O trajeto era curto. Não demorou nem quinze minutos. Quando ele começou a manobrar o carro para estacionar perto da entrada do meu prédio, senti a cabeça oca, como se o sangue se esvaísse do corpo. Estava gelada. Só queria escapar das investidas que sofria e pensar na situação de cabeça fria, lá no meu quarto, sozinha.

Tirei o cinto de segurança e, agradecendo a gentileza dele, comecei a abrir a porta para sair. Eduardo me tomou pelo braço esquerdo, fazendo-me voltar ao assento. Olhei, assustada, e soltei a porta, que ficou entreaberta. Ele se inclinou vagarosamente. Não pude e não quis evitar: o beijo foi consentido. Passou a mão esquerda pelos meus cabelos e segurou minha cabeça com leveza. Eu o abracei. O coração gritava ao meu cérebro, que não respondia.

Foram poucos segundos. Meus olhos, contudo, pareciam estar fechados por horas. O mundo tinha parado e meu corpo todo estava mole e quente. Pensei até que era febre. Ao fim, recostei minha cabeça no descanso do banco, encarando-o.

– Seus olhos estão úmidos! Nunca tinha visto isso. Você fica ainda mais linda... Vem cá!

Ele tentou me alcançar mais uma vez.

– Não, Eduardo. Preciso ir. Meus pais devem estar preocupados. Me deixe ir, ok?

As palavras saíram sem nenhum aviso. Nem pareciam minhas! Meu pedido não tinha nenhuma convicção. Queria mesmo que ele fosse rebelde nessa hora e me desse um abraço com todo o desejo. Não foi o que aconteceu. Ele me soltou suavemente. Seu rosto estava um pouco avermelhado.

– Posso ver você amanhã? – perguntou com a voz embargada.

– Pode. Me ligue de tarde.

Abri a porta e escapei toda confusa. Já ia errando a portaria do prédio enquanto o via acenar um adeus. Eu tinha 20 anos. Ele, 21. Estávamos no meio do curso de psicologia. Naquele dia, começou nosso namoro.

CAPÍTULO IV

Noivado

Percebi que ele estava de camisa social. Sua expressão estava diferente, um tanto apreensiva e séria. As mãos suavam. Os olhos me evitavam um pouco. Entrou com um beijo displicente, vasculhando a sala e perguntando por meu pai. Cumprimentou minha mãe e fez seu galanteio usual. Sentou-se com Cristina no sofá e falou-lhe algo baixinho, ao pé do ouvido. Não identifiquei o assunto.

Minha mãe não esboçou nenhum sinal de surpresa. Mirou a porta que dava para o corredor e levava aos quartos. Recostou-se na poltrona e me dirigiu um sorriso.

– Quem sabe vamos ter um sábado mais interessante do que os outros, Gabriela?

Eu não entendia bem o que estava se passando...

Voltando-se para Eduardo, ela acrescentou:

– Já pedi à enfermeira que arrumasse meu marido. Daqui a alguns minutos, vamos lá falar com ele, Eduardo. Gabriela, enquanto isso, sirva alguma coisa ao seu namorado, por favor.

Minha mãe estava usando um tom formal. Até aí, nenhuma surpresa: ela fazia questão de se mostrar fria e educada com ele. Mas sua expressão agora era vívida. Exibia uma tranquilidade contida, com movimentos estudados demais. Algo artificial nela me incomodava bastante.

– Dona Cristina, o Sr. Carlos já está pronto – avisou a enfermeira da tarde, que saíra do quarto do casal, ajustando o arco preto que prendia os cabelos.

– Bem, vamos lá, Eduardo. Gabriela, você também.

Meu Deus, algo havia sido combinado e eu fora deixada de fora. Comecei a ficar preocupada. Eu esquecera alguma data importante? Pela forma com que minha mãe nos conduzia, era provável que até papai soubesse do que se tratava, menos eu.

Quando entramos no quarto, observei que meu pai vestia uma de suas melhores camisas e estava, até, de calça social. Arregalei os olhos para minha mãe, indicando meu pai com a ponta do nariz. Ela ergueu a mão para mim, pedindo que eu ficasse quieta.

Eduardo estava com o braço passado pela minha cintura, bem desconfortável, e não tirava a mão direita do bolso da calça social. Concluí que ele segurava algo lá dentro. Ele estava um pouco pálido e fitava o chão, aguardando o momento adequado para trocar palavras com Carlos.

Virando um pouco o corpo com dificuldade, papai olhou-o nos olhos. Por um breve momento, parecia penetrar sua alma. Depois, ergueu a mão direita para ele, convidando-o a um cumprimento.

– Não me recordo de ter visto você tão elegante, rapaz. Acho até que esse estilo lhe cai melhor do que o rebelde do dia a dia!

Meu pai deu uma risada, interrompida por uma sutil falta de ar. De boca aberta para ventilar melhor os pulmões, ele continuou apertando a mão de Eduardo. Não dava para saber se sentia dor naquele momento.

– Boa tarde, Sr. Carlos. Obrigado pelo elogio. Como está se sentindo hoje? – perguntou Eduardo, fingindo alegria.

Como o conhecia bem, detectei algo estranho em sua voz. Medo?

Ele soltou minha cintura e o objeto que segurava insistentemente no bolso da calça, cruzando os braços de forma defensiva. Minha mãe se postou ao lado da cabeceira da cama, encarando-o serenamente. Ela alternava o olhar entre Eduardo e meu pai. No fundo estava preocupada com a duração do encontro, pois Carlos dava sinais de cansaço.

– Muito bem, Eduardo, soube que você conseguiu o emprego no RH daquela empresa! Meus parabéns! Um homem que quer assumir responsabilidades precisa de uma boa posição na vida. Quando eu me casei com a Cristina, trabalhava numa consultoria bem legal.

O jovem arregalou os olhos e mordeu os lábios. Era nítida sua tensão. Nessa hora, fiquei alerta. Como assim? Que história era aquela de assumir responsabilidades? E de casamento?

Senti uma espécie de choque elétrico em todo o meu corpo. Um alarme soou no cérebro. Meu coração disparou como um cavalo selvagem que corre para não ser laçado. Minhas pernas falharam e quase perdi o equilíbrio. Por sorte, consegui me escorar na parede.

Minha mãe fixou os olhos em mim. Fez menção de ir em minha direção, mas como percebeu que me reequilibrara, deu-me as costas e ficou de frente para a cama. Meu pai não notou nada do que acontecera, pois estava concentrado em Eduardo, ou melhor, em suas intenções.

Já tinha perdido a paciência. Eu me afastei da parede, pronta a partir para cima de Eduardo e tirar a limpo aquela conversa. Então, ele deu um passo para perto da cama e se agachou.

– Pois é, Deus ajuda, né? – disse, apoiando as mãos nas coxas e inclinando o corpo para a frente.

Resolvi dominar o ímpeto e a curiosidade. Encostei-me à parede, dando a Eduardo mais espaço para a manobra que se seguiria. Respirei fundo e engoli em seco.

Por que ele não parava logo com a presepada e o teatro com meu pai, não virava logo a cabeça para mim e dizia as palavras que eu tinha esperado tanto por dois anos? Que saco! Estava muito nervosa.

– Veio só me visitar? Ou tem algo mais importante para tratar?

Sem tirar o sorriso do rosto, meu pai interrompeu bruscamente as amenidades, para descontento de minha mãe, que o olhou severamente, achando aquilo falta de educação.

– Bom... Vim pedir sua filha em casamento.

Lentamente ele se levantou e girou o corpo em minha direção. Ele enfiou a mão no bolso da calça e tirou uma caixinha grená. Eu perdi o compasso do coração. Como não havia percebido antes? Obviamente tudo fora combinado previamente com minha mãe. Ao que parecia, papai também já estava avisado, tanto que acabara com o papo furado e forçara o assunto.

Agarrei-o antes que ele pudesse voltar totalmente o corpo para mim. O beijo improvisado lhe acertou o canto da boca. Quase o joguei no chão com o impacto do meu corpo. Atrapalhado, ele conseguiu colar seu peito contra o meu, quase sendo sufocado. Então consegui dar um beijo de verdade. As mãos dele gentilmente repousaram na minha cintura.

– Agora que você tem um excelente emprego e sempre demonstrou amar minha filha, tem a minha permissão. Fico muito feliz! Parabéns aos noivos! – exclamou meu pai, interrompendo a cena de amor.

Com um movimento firme, Eduardo se desgrudou de mim e se voltou para papai.

– Fico muito feliz com sua permissão. Vou cuidar muito bem da sua filha. Prometo! – disse, ajeitando a camisa que, àquela altura, estava um pouco amarrotada.

Sem esconder a satisfação, meu pai se posicionou mais abaixo na cama, como que relaxando. Missão cumprida. Não sei quanto tempo levara se preparando. Pelo menos tudo acontecera em um dia bom: ele não tinha tossido nenhuma vez. Continuou mais um pouco com a conversa superficial, gesticulando com desenvoltura, apesar de não mexer mais o corpo na cama.

Minha mãe não disse uma palavra sequer. Abrira um sorrisinho, indicando aprovação. O plano que arquitetara fora executado com precisão milimétrica. Bastante emocionada, eu segurava a caixinha. Estava tão excitada que me esqueci de abri-la no meio da confusão.

Enquanto a conversa sobre economia e empregos se finalizava, eu namorava a caixinha que, pousada na palma da mão, emanava um encantamento todo especial para mim. Quebrando o clima, minha mãe determinou a saída do recinto. Todos a seguimos após os cumprimentos de praxe ao meu pai. Sentando no sofá, não resisti em questionar minha mãe.

– Há quanto tempo você sabe disso? – perguntei baixinho, mas Eduardo estava de olho em nós duas e se agitou todo na poltrona à minha esquerda.

– Espere um pouco, você não quer se casar comigo? Não gostou da aliança? Nem abriu a caixa... – questionou ele, surpreso e inseguro, se intrometendo.

– Deixe de bobagem! É o que mais quero! Só não entendi o complô. Seria melhor me contar que iria fazer hoje o pedido. Meu coração não voltou ao normal, ainda estou um pouco aérea!

Eu nem tivera coragem de ver o anel. Levantei a caixinha com enorme prazer.

– Venha cá. Quero abri-la diante de você. Nossa, é lindo! Será que cabe? Perfeito. Olha, mãe!

Espalmei a mão direita no ar, exibindo o presente para mamãe, que assentiu, sorridente, aprovando a escolha do genro.

– Minha filha, o correto é a surpresa! Só não foi para nós por conta da doença do seu pai. Eu não podia arriscar uma situação emocional tão forte. Quando percebi que Eduardo estava decidido, abordei o assunto e ele me confessou tudo. Então organizei a data de hoje – explicou, sentando-se no sofá e cruzando as pernas tranquilamente.

– Pois é, amor... Não contei nada para você, mas já vinha dando pistas do que pretendia.

A justificativa não me convenceu.

– Tenha paciência, Eduardo! Todos os namorados com mais de dois anos de namoro falam em casar um dia. Outra coisa é marcar data para o pedido! – respondi, com o corpo inclinado para a frente, os cotovelos apoiados nas coxas, fingindo estar zangada.

– Olha, minha filha, está tudo bem. Tudo pronto, e agora nós duas vamos cuidar dos detalhes do casamento. Inclusive como vamos fazer para vestir e transportar seu pai no dia da cerimônia. Pensei numa cadeira de rodas para ele entrar na igreja com você!

Ela se mostrava alegre de verdade e percebia que eu estava fazendo charme para o noivo...

Meu pai faleceu no mês seguinte. O casamento só seria realizado dali a dez meses. Fiquei arrasada. Minha mãe caiu em forte depressão. Não saía do quarto para nada. Levei um psiquiatra amigo meu para tentar solucionar o problema. Ela aceitou a medicação e começou a melhorar. Quando os remédios foram suspensos, retornou ao grupo de oração. O único problema é que voltou a beber também. Em doses maiores.

– Querida, saia do quarto! Você vai acabar se atrasando para a missa de sétimo dia do seu pai. Vamos, deixe eu ajudar com a roupa.

Com sua voz rouca de cantora de blues, a senhora magra, baixa e cabelos cuidados dava leves batidas na porta. Insistia em entrar. Além de decidida, era bem confiante. Desisti da trincheira e abri.

Tia Irene morava em São Paulo e não tinha filhos. Frequentadora assídua da igreja, só se separara porque obtivera a anulação do casamento em um tribunal canônico. Era uma das coordenadoras de um dos grupos de oração da Renovação Carismática que se reunia na avenida Paulista. Como recebia uma boa pensão do ex-marido, além da aposentadoria como professora da USP, não precisava mais trabalhar. Todo o seu suor era empregado nas causas de Cristo.

Formada em Educação Física e, tardiamente, em Teologia, era uma figura das mais interessantes. Extremamente ativa e bem conservada para a idade, a irmã mais velha de minha mãe devorava livros sobre o catolicismo e queria, a todo custo, converter as pessoas – um aspecto que poderia torná-la desagradável aos olhos de todos. Contrariando os prognósticos, nunca conheci ninguém que não gostasse dela. Até o ex-marido queria sua companhia em jantares de negócio e cerimônias afins.

Tinha uma leveza diante das situações de crise, administrando-as com maestria. Sempre surgia com uma solução inusitada, original. Quando vinha ficar conosco no apartamento de Copacabana, tudo se transformava. Na última semana de agosto, era certa a sua chegada, pois preferia comemorar seu aniversário conosco.

Transitava por todos os assuntos nas nossas conversas, mas o preferido era mesmo a religião. Discutíamos mitologia grega e os filósofos, mas sempre encerrávamos com Santo Tomás de Aquino, seu ídolo-mor. De repente, lá vinham as tentativas de conversão. Eu não ligava: ela agia de um jeito divertido. O resultado, todavia, não era o esperado, pois eu duvidava de tudo aquilo. Ainda assim, ela nunca se ofendeu.

– Ainda desse jeito, menina! Vamos abrir esse armário. Ih, coisa horrível... Não dá, não. Pera aí. Ah, combina com seus cabelos, pode vestir! Imagine seu pai lá do Paraíso olhando para você mal-ajambrada na missa de sua gloriosa ressurreição. Claro que quer ver a filhota belíssima!

Ela sorriu e me segurou pela cintura.

– Você sabe que não acredito nessas coisas: espíritos, Paraíso, missas... De qualquer forma, meu pai nunca gostou de me ver para baixo e mal-arrumada. Você tem toda a razão. Vou pentear os cabelos, fazer uma maquiagem que esconda minhas olheiras e colocar um perfume. Por favor, tia, vá lá ver se a mamãe já está pronta – pedi, dando um beijo no rosto dela.

Saímos as três no meu carro. Chegamos em cima da hora ao estacionamento a quatro quadras da igreja. Irene e Cristina apertaram o passo; eu vinha logo atrás, desmotivada, observando como as duas cinquentonas eram rápidas, falantes e bonitas. Gostaria de atingir a idade delas da mesma forma.

Mesmo com toda a dor da perda, minha mãe ainda chamava a atenção dos homens por onde passava. Ela não notava os olhares ou não queria notá-los. Seu espírito estava em outra dimensão e, desde a partida do marido, não acompanhava os movimentos do plano físico. Tia Irene era mais ligada. Apesar de ser toda agitada, não dava a menor importância para investidas masculinas. Segundo ela, só Jesus!

– "Maria tinha ficado fora, chorando junto ao túmulo. Enquanto ainda chorava, inclinou-se e olhou para dentro do túmulo. Viu então dois anjos vestidos de branco, sentados onde o corpo de Jesus tinha sido colocado, um na cabeceira e outro nos pés."

O sacerdote ergueu os olhos do enorme livro de capa dura e marrom-escura aberto à sua frente e fitou a parte de trás da assembleia.

Até aquela passagem do Evangelho, não me interessava por nada do que acontecia. Estática, estava sentada no primeiro banco da igreja, entre Eduardo e minha mãe, também perto de tia Irene. Quando aquelas palavras saíram dos alto-falantes nas laterais da igreja, comecei a me sentir banhada do pescoço para baixo, como se entrasse vagarosamente num ofurô.

Fechei os olhos para experimentar melhor aquele momento de pura paz. Não sentia mais o banco de madeira onde estava recostada. Havia um leve odor de rosas no ar. Eu parecia balançar sutilmente, boiando nas águas que me tomavam. Dedos deslizaram pelos meus cabelos no alto da testa, afastando a franja para a direita, e me despertaram do transe.

Inspirei fundo, saboreando o momento e o carinho, para então abrir os olhos. Não havia ninguém. Eduardo estava concentrado na leitura que o padre realizava. Minha mãe olhava para a imagem de Nossa Senhora das Graças ao lado da cruz no altar principal da igreja. Tia Irene lia a passagem no folheto da missa, muito entretida.

Imediatamente me arrepiei. Minhas lágrimas secaram e fiquei alerta. Era o jeito com que meu pai tocava meus cabelos quando me fazia algum elogio. Pensando bem, a textura dos dedos, o jeito de jogar minha franja para o lado... Não podia ser! Era muita loucura. Definitivamente eu estava passando dos limites. Precisava continuar minha vida de modo mais centrado, rompendo de vez com essas esquisitices.

– "'Mulher, por que você está chorando?' Ela respondeu: 'Porque levaram o meu Senhor, e não sei onde o colocaram.' Depois de dizer isso, Maria virou-se e viu Jesus de pé; mas não sabia que era Jesus." Palavra da Salvação.

Todos responderam "Glória a Vós, Senhor". O padre pegou o microfone sem fio e começou a descer os degraus do presbitério em nossa direção. Iniciava-se a homilia.

– Posso dizer com certeza para vocês: Carlos está vivo! Livrou-se da prisão da doença e está em paz, na morada celeste! Nós é que não conseguimos vê-lo. Pode ser que, neste exato momento, ele esteja nos assistindo, intrigado com nossa ignorância.

Ele dava risadinhas. Outro arrepio percorreu minha espinha. Será?

– Somos como Maria Madalena. Não conseguimos ver que nosso amado está vivo, bem na frente do nosso nariz! Por mais sinais que Deus já nos tenha oferecido, terminamos por nos render à nossa mente e dizemos para nós mesmos que está tudo acabado...

Ele balançava a cabeça e parecia me fitar.

– Claro que não está nada acabado! – Seu grito ecoava pela igreja praticamente vazia. – Tudo está apenas começando! Meus queridos filhos, não podemos mais viver neste estado de cegueira espiritual. Precisamos abrir os olhos e ver que há um lugar de bênçãos, onde recomeçamos... ressuscitados!

O padre retornou triunfante para o presbitério e prosseguiu com a missa.

Ao final, ficamos as três paradas, recebendo as condolências. Eduardo preferiu ficar sentado em um banco próximo. Facilitando nossa árdua tarefa, poucas pessoas compareceram. Papai era um sujeito de poucos amigos, que agora nos chegavam bastante emocionados. Eu procurava não me deixar envolver pelo clima de tristeza. Não queria chorar ali. Minha mãe e minha tia também estavam firmes, sem lágrimas.

Em determinado momento, Eduardo se levantou e veio segurar minha mão. Ficou daquele jeito até o final. Insistia em saber se eu estava bem. Afirmava-lhe que sim, assentindo para enfatizar. Então, carinhoso, ele beijava meu rosto e dizia que tudo já ia acabar. Em meio aos cumprimentos, minha tia ficou o tempo todo de braços dados com mamãe.

Pisei fora da igreja e ouvi uma voz masculina idêntica à do meu pai dizer que tudo estava bem encaminhado. Tomei um susto! Primeiro o carinho na minha franja, depois uma voz parecida com a dele. Desvencilhei-me de Eduardo e, como uma leoa à caça, olhei para todos os lados a buscá-lo. Percebendo minha agitação, meu noivo perguntou o que tinha acontecido. Recusei-me a responder e disse que precisava ir embora logo. Não comentei com ninguém sobre o que ocorrera.

Preferi armazenar todos os acontecimentos da missa em meu coração e não compartilhá-los. Provavelmente eram frutos da minha carência e saudade. Meu inconsciente estava me traindo. Psicóloga como era, tinha certeza de que iria me estabilizar em breve. Melhor seria apagar tudo. Não teria nenhuma utilidade para o meu futuro. Mas nunca tive sucesso...

Aproveitando que tia Irene decidira ficar conosco até o casamento, demos sequência aos preparativos. Mais uma opinião feminina era algo excelente. Além do mais, tinha muito bom gosto e ajudou bastante nos ajustes do vestido e adereços. Depois de longas pesquisas e andanças por Ipanema, comprou seu vestido de madrinha junto com o da minha mãe, na mesma loja.

Dormia no sofá-cama ao lado da minha cama, em meu quarto. Divertíamo-nos muito à noite. Falávamos muita besteira! Suas histórias eram adoráveis. Até mesmo as parábolas de Jesus tinham uma sonoridade especial em sua boca e ela sempre emplacava alguma. Enfim, eu fui me recuperando aos poucos. Julgava ter meu coração preparado para o casório.

Não houve cerimônia religiosa. Eu era contra, pois não acreditava naquilo. Bênção para quê? Conhecia pessoas que não eram católicas praticantes e, ainda assim, faziam questão de se casarem em uma igreja! Para mim, era uma tremenda falta de respeito: transformava um ritual religioso em acontecimento social, além de ser uma atitude hipócrita.

Optei pela cerimônia civil em uma casa de festas. Minha decisão desagradou minha mãe, suas amigas do grupo de oração e tia Irene. Contudo, era irrevogável. Precisava fazer as coisas a meu modo. A vida toda, Cristina fora a rainha da situação e tudo funcionava sob sua batuta.

Quando o portal branco de madeira se abriu às oito da noite em ponto, embalado pelos acordes clássicos, a grande reta de flores reluziu à minha frente. Soltei todo o ar dos pulmões com força. Movi as pernas, que pareciam pesadas por causa da ansiedade. Entrei sozinha, chorando muito. Eduardo estava tenso, perto da mesa da juíza de paz.

Que trajeto mais demorado! Nunca levei tanto tempo para percorrer 20 metros. Ou será que o tempo estava contra mim, como a correnteza de um rio que nos impede de galgar até a nascente? Para completar, meus sapatos machucavam os calcanhares, mordendo mais que lobos.

Eduardo tentava apresentar uma postura distinta e segura, mas, ao me ver em lágrimas, ficou desconcertado. Enquanto eu me aproximava, meu rosto foi secando. A menos de 2 metros de mim, ele não sabia o que fazer nem o que dizer; estava estático. Parei e lhe estendi a mão esquerda, convidando-o. Apressado e com medo de cometer uma gafe, segurou-me a mão e me beijou a testa. Viramo-nos para encarar a juíza.

No decorrer da cerimônia, Eduardo me falava algumas palavras de amor, com um semblante que denunciava todo o nervosismo. Apesar do forte ar-condicionado, suava muito. Eu não conseguia falar nada. As lágrimas que teimavam em aparecer de vez em quando expressavam tudo. A imagem de meu pai se mesclava com as cenas do casamento em tempo real.

Como Carlos queria que eu me casasse bem! Dizia que eu merecia um príncipe, devido à minha beleza e à educação primorosa que recebera. Exagerado e brincalhão como sempre. A verdade é que teria sido um orgulho entrar com a filha única no recinto lotado de amigos para me entregar ao meu futuro marido. Infelizmente, nada disso aconteceu...

Perto do fim da festa, a ficha caiu: comecei a entender que estava casada. Meu coração superou as memórias doloridas e se alegrou. Claro que, durante o dia todo, não dera pistas para ninguém de que meu peito ressentia a ausência de papai, mas o incômodo só me deixou por volta das duas da manhã. Para minha mãe e minha tia, o casamento fora um sucesso. Era tudo o que eu podia desejar naquele momento.

O apartamento onde eu e Eduardo fomos morar já estava comprado havia alguns meses, em nome de minha mãe. Encontrava-se todo mobiliado por ela. Eu atendia uns poucos pacientes em um consultório na Gávea, uma sala comercial deixada por meu pai, a três ruas do meu novo endereço. Ia andando até lá. Gostava muito de trabalhar; era um momento em que não pensava nos problemas da vida, só nos da vida dos outros. Estava, pouco a pouco, vencendo o luto e meu casamento era feliz.

Porém, a morte do meu pai produziu uma ferida profunda: passei a não suportar ouvir falar em Deus. Se a assertiva "Deus existe" era verdade, Ele certamente não gostava de mim. Então, mais prático pensar que se tratava de folclore dos necessitados e do povo mais humilde. Isso durou muitos anos, mais exatamente até dez meses antes do meu embarque rumo à França.

Por sua vez, a medicina também havia perdido credibilidade diante da minha razão. Eu não confiava mais nas soluções e possibilidades de cura apresentadas pelos médicos para as diversas doenças. Tornei-me um tanto pessimista. Evitava os consultórios a todo custo. Precisava me manter saudável, pois se precisasse dos "homens de branco"...

Com o passar do tempo, minha mãe começou a apresentar diversos problemas de saúde. Não teve jeito: precisei levá-la para uma batelada de exames. Tia Irene, mais uma vez, veio de São Paulo para o Rio. Ficou por uma boa temporada conosco, no apartamento de mamãe.

Depois da morte de papai, a fé de minha mãe começou a fraquejar. Já não frequentava o grupo de oração com afinco. Não a via lendo a Bíblia ou livros sobre a vida dos santos. Muitas vezes a encontrava sentada no sofá, inexpressiva, olhando fixamente para a mesa da sala, mas na verdade mirando o vazio.

– Cristina, vamos rezar um terço. Você vai se sentir bem melhor. Olha, Deus pode dar novo sentido à sua vida. As coisas que nós passamos servem para nos aproximar do Senhor – lá vinha tia Irene tentando convencer mamãe.

– Olha, Irene, não sei mais... Acreditava que Jesus iria curar o Carlos. Especialmente depois que ele derrubou todos os prognósticos dos médicos. Parecia que estava indo bem. Como Deus pôde ter agido assim comigo? – questionou ela, com os olhos vermelhos.

– Minha irmã, tudo tem uma explicação. Nós não a conhecemos porque não vemos o todo, só uma pequena parte do que é a realidade. Lembra-se do que disse São Paulo na Primeira Carta aos Coríntios, capítulo 13?

Ela pegou a Bíblia que estava na mesa de apoio.

– Não tenho a menor ideia, Irene – respondeu mamãe, desanimada, sem olhá-la nos olhos.

– "O nosso conhecimento é limitado; limitada é também a nossa profecia. Mas, quando vier a perfeição, desaparecerá o que é limitado. Quando eu era criança, falava como criança, pensava como criança, raciocinava como criança. Depois que me tornei adulto, deixei o que era próprio de criança. Agora vemos como em espelho e de maneira confusa; mas depois veremos face a face. Agora o meu conhecimento é limitado, mas depois conhecerei como sou conhecido. Agora, portanto, permanecem estas três coisas: a fé, a esperança e o amor. A maior delas, porém, é o amor."

Ao terminar, em tom triunfante, Irene segurou a mão de Cristina.

– Irene, pode realmente ser... Mas uma coisa não dá para engolir: Ele levou o Carlos embora daquela forma! Estou muito revoltada. Não consigo me conformar. Quer saber? Tenho muita raiva de Deus. Com tanta gente ruim, foi levar logo o meu marido, um homem maravilhoso, que eu amava tanto... Deus é injusto! – bradou ela, às lágrimas.

Já eu não dava a mínima para São Paulo. Sugeri algo mais eficiente do que o santo: um tratamento psiquiátrico. Achei que ela pudesse melhorar com uma medicação adequada. Ao invés de consultar meu amigo, consegui levá-la ao Dr. Alberto, um homem muito experiente e médico renomado. Sabia conduzir bem seus pacientes. Se a medicina não curava, o mínimo esperado era um alívio.

De fato, ela progrediu com o tratamento do Dr. Alberto. Todavia, nunca mais voltou a ser a mulher controladora e ativa de outros tempos. No fundo, seus olhos ainda carregavam uma tristeza. A vida tinha perdido seu sabor. Talvez a história de se entregar a Deus, que a minha tia tanto defendia, pudesse ser uma boa solução para ela. Algo que funcionasse como uma terapia.

Se ter Deus no cotidiano fazia tão bem a Irene, era possível que também servisse como uma ocupação válida para mamãe. Algo como um passatempo, para preencher suas tardes e noites de saudade do marido. Pelo menos ela teria menos tempo para o álcool e a autopiedade.

Seis anos depois, precisei sair correndo de casa para levar minha mãe ao hospital no meio da noite. Lembro-me de tê-la encontrado na cama com fortes dores, encolhida próxima ao travesseiro. Não compreendia nada do que ela murmurava entre os dentes cerrados e lábios contraídos. Arrumei uma pequena mala e partimos. Ela nunca mais voltaria para casa.

CAPÍTULO V

Mãe

Olhei pela janela do quarto. Só enxergava o pátio central da ala sul do hospital. Estava tudo escuro e não havia ninguém lá embaixo. Colocando a cabeça para fora, contemplei o céu de poucas estrelas, cujo brilho desbotado me informava que a triste luta pela vida estava complicada. Não havia nuvens e estava tudo muito silencioso, parado. Voltei para dentro.

Ela estava dormindo. O soro descia de modo constante, consumido pelas veias castigadas. Sua pele, antes perfeita, estava desgastada pela doença. Rugas ao redor dos olhos e pés de galinha em direção às orelhas. As mãos ficaram escurecidas pela medicação e os cabelos prateados se amontoavam nos travesseiros desordenadamente. A vaidade da bela mulher elegante já havia falecido havia algumas semanas...

– Gabriela, tudo bem?

Havia esquecido a porta do quarto encostada e levei um susto quando o homem de preto entrou. Era tarde, passava das dez da noite. Ele carregava a Bíblia em uma mão e uma valise preta e pequena na outra. Aparentava estar bastante cansado, mas sua voz era jovial.

– Não deu para vir antes, desculpe-me. Precisei visitar alguns doentes em Itaboraí, só cheguei ao Rio agora.

De fato eu estava estranhando sua ausência.

– Entre, padre José, boa noite. Minha mãe gosta tanto da sua presença que, por mim, pode vir a hora que quiser.

Àquela altura, tão marcada pelas derrotas que a saúde impusera à minha família, eu não odiava mais o catolicismo nem as religiões afins, apesar de não professar nenhuma fé. Seu representante, portanto, era bem-vindo. Nós nos cumprimentamos com um aperto de mão e, a seguir, ele fez o sinal da cruz sobre mim.

– Que a Mãe de Deus se faça presente neste quarto e abençoe todos nós – disse, com uma suavidade e entonação musicais.

Abrindo os olhos, posicionou-se junto ao leito onde Cristina estava. Olhou-a fixamente, como que fazendo uma prece mental.

Com a doença, minha mãe se reaproximara do catolicismo. Irene tinha grande participação nisso: trazia todos os tipos de objetos e livros religiosos para a irmã. As senhoras do grupo de oração, por sua vez, constantemente rezavam com ela e acompanhavam o desenvolvimento da doença. Sempre pediam permissão para fazer reuniões com a paciente no quarto do hospital. Tinham a minha aprovação, mas, às vezes, o estado de Cristina não possibilitava o evento e o médico vetava.

Desde a primeira semana de internação de minha mãe, padre José vinha visitá-la. Explicou-nos que tinha a função de capelão ali. Era jovem, por volta dos 40 anos, mas os cabelos brancos já se apoderavam de mais da metade da cabeça. Estava um pouco acima do peso e usava um surrado terno escuro. Sua figura não combinava com os óculos de aros alaranjados e modernos.

Hábil nas conversações, tornou-se a companhia mais esperada por mamãe. Até sobre culinária dava opinião. Só ele conseguia arrancar risos da paciente. Quando, pela manhã, fazia sua visita ritual aos pacientes do andar, podíamos ouvi-lo chegando de longe pelos corredores. Todos da equipe médica o cumprimentavam efusivamente. As gargalhadas ecoavam, preenchendo todo o hospital.

Por trabalhar em um lugar como aquele, já não sabia mais quantas vezes encomendara corpos em enterros e missas de sétimo dia. Uma das enfermeiras que cuidava da minha mãe me explicou que, quando sua irmã falecera, padre José tomara a frente do enterro e dera toda a assistência à sua mãe. Era muito grata a ele e afirmava que se tratava do homem com o coração mais puro que já conhecera.

Curiosa para saber mais sobre o padre, decidi lhe perguntar, certa vez, quantos anos de sacerdócio tinha. Ele respondeu três. Era uma vocação tardia. Contou que havia se formado em Sociologia na Universidade Federal do Rio de Janeiro e trabalhara em uma ONG por dez anos antes de se tornar padre.

Fiquei impressionada em saber que um jovem que havia namorado, com uma formação universitária e um trabalho interessante, resolvera se dedicar às causas espirituais já próximo aos 40 anos. Não era mais nenhum garoto quando decidira entrar no seminário.

– Entendo seu espanto, Gabriela. Ninguém da minha família compreendeu quando eu disse que largaria tudo para virar padre. Minha mãe quis logo marcar uma sessão de análise para mim! – disse, rindo descontraído, para acrescentar: – Olha bem o que me aconteceu...

Ele começou a discorrer sobre a transformação de sua vida. As coisas andavam muito bem em sua carreira de sociólogo. Era contratado de uma ONG internacional, que cuidava de áreas carentes na América do Sul. Trabalhara por quatro anos na Bolívia e na Colômbia, até ser designado para sua terra natal, o Rio de Janeiro. Um dia, ao visitar uma comunidade carente, conheceu um sacerdote idoso que morava em um barraco, próximo a uma encosta perigosa. Os moradores o chamavam de "padre Branco". O homem mudou sua vida.

A serviço da organização, José participava das negociações para a retirada dos moradores do local antes das chuvas de janeiro. Ele visitava o padre com frequência, buscando obter seu apoio, pois o homem exercia forte liderança comunitária. Era peça crucial para que todas as famílias do lugar aceitassem a mudança para casas em outra parte da cidade.

Com sotaque italiano carregado, Branco lhe explicou que as pessoas tinham o direito de decidir seu futuro sem imposições do Estado. Após dias de debates e pressões, José fracassou em convencê-lo, assim como as dezesseis famílias. Elas se apegavam aos poucos bens que tinham em detrimento das próprias vidas. No caso do velho sacerdote, considerava todos ali seus filhos espirituais. Ele falava que, como pai e pastor, seria o último a sair.

As previsões da meteorologia começaram a ficar preocupantes. As autoridades públicas apertaram o cerco. A equipe de José oferecia vários benefícios a quem saísse da área de risco, como o transporte gratuito dos bens que quisessem levar, e cestas básicas por seis meses. Não foi o suficiente para mudar a cabeça dos mais teimosos moradores, inclusive padre Branco.

Em uma noite chuvosa, José levou sopa quente ao homem. Pacificamente, incitando-o à razão, informou-o que provavelmente sua vida se perderia se continuasse ali. As chuvas daqueles dias seriam impiedosas e devastariam toda a área. Morto, ele não poderia mais cuidar dos seus filhos espirituais tão estimados. O que seria de seu rebanho querido? Ovelhas sem pastor.

– Verdade, *bambino*. Ninguém pode resolver tudo ao mesmo tempo, não é?

Sua risada ecoava pelas ruelas do morro e ele dava tapas sonoros e descontraídos no ombro do rapaz.

– Por falar em ovelhas, há muito tempo alguém bem mais articulado e inteligente que você proferiu as seguintes palavras... Ele pigarreou e prosseguiu: – "Se um homem tem cem ovelhas, e uma delas se perde, será que ele não vai deixar as noventa e nove nas montanhas, para procurar aquela que se perdeu? Eu garanto a vocês: quando ele a encontra, fica muito mais feliz com ela, do que com as noventa e nove que não se perderam. Do mesmo modo, o Pai que está no céu não quer que nenhum desses pequeninos se perca."

Mais uma pequena gargalhada, acompanhada por uma tosse seca.

– Que homem é esse? Isso me interessa em quê? – questionou José, impaciente.

Já estava até visualizando a cena: mais um maluco a ser convencido de que não poderia permanecer na área de risco... Quanto trabalho mais tudo isso daria?

– Claro que interessa. Ele mora aqui. – O padre apontou para o próprio peito, onde se encontrava um rústico crucifixo de madeira. – Jesus Cristo. Você não reconheceu a passagem bíblica? Ah, nunca leu o capítulo 18 do Evangelho de São Mateus, não é?

A pergunta era, na verdade, uma afirmativa zombeteira.

– Na minha vida não há tempo para leituras religiosas, padre Branco. Trabalho sem parar. Lido com situações concretas e não com fantasias. Por falar nisso, bote na cabeça que precisamos evacuar toda a área. Sem a sua ajuda, padre, muitos vão se perder, dá para entender?

Um pouco alterado, padre Branco segurou com firmeza o braço de José.

– Fazer boas leituras não é perder tempo, mas ganhá-lo para sempre. Será que você já abriu alguma vez a Bíblia em casa? Aliás, você tem uma Bíblia em casa, rapaz?

Ele não dava atenção para o assunto que o sociólogo trouxera. Torcia tudo à sua vontade. No meio da crise, queria evangelizá-lo.

– Padre, é óbvio que já li a Bíblia. Só porque não consegui reconhecer a passagem das ovelhas, o senhor vem com esses gracejos para cima de mim. Esse negócio de falar em ovelhas, pensando bem, tem por todos os livros que compõem a Bíblia. Como é que eu iria adivinhar o trecho citado?

José deu de ombros.

– Me ocorreu que você não deve ter feito primeira comunhão... Pior! Será que seus pais o batizaram? Olha, seria uma grande libertação para você. Quantos pecados iriam deixar você em paz? Quer experimentar, José?

Por mais incrível que pudesse parecer, o olhar do velho padre era sério.

– Fui batizado no próprio hospital em que nasci, padre. Fiz primeira comunhão, sim, fui educado em colégio de padres. Mas quanta pergunta inútil! Estamos com o tempo correndo e o senhor fica querendo me converter. Acorde! Muitas vidas, inclusive a sua, vão ser perdidas aqui. Tudo pode ser evitado, basta que a sua voz se junte à minha, hoje, imediatamente.

Sentado no chão, José apoiou as mãos atrás do corpo, no piso de madeira apodrecida.

– A minha missão é cuidar desses pequeninos que estão aqui, até o último dia que Deus me der na Terra. Não me interessa quando Ele vai me chamar à morada celeste. Não estou preocupado com o dia da minha morte.

Pelo que José via em seu rosto, o homem estava falando a verdade. Talvez, por todo o sofrimento que passara na vida e testemunhara na comunidade, tivesse enlouquecido.

– Minha função é me preocupar com a sua vida e a de todos os moradores deste lugar. O que está acontecendo aqui não é razoável. Seja coerente com a sua fé, padre. Vamos salvar vidas, por favor! – apelou José com toda a firmeza.

– Salvar vidas, para mim, tem outro significado. Não estamos falando a mesma língua, José. Você pensa de modo restrito. Eu penso no todo – replicou o padre, olhando serenamente para o jovem.

Mas que história era aquela de modo restrito? Salvar uma vida é excluir a sentença de morte que paira sobre ela. Tudo estava em andamento. A natureza não queria saber o que significava salvar vidas segundo o padre Branco. Ela viria nos próximos dias em fúria. Atingiria qualquer homem que se colocasse em seu caminho, fosse ele padre ou não! José esmurrou a escrivaninha à sua frente.

– Você ouve minha voz, mas não me escuta, não é, José? Como relata o capítulo 8 do Evangelho de São Marcos, meu Mestre me deu o seguinte conselho: "Quem quiser salvar a sua vida, vai perdê-la; mas quem perde a sua vida por causa de mim e da Boa Notícia, vai salvá-la."

Ele ficou de quatro e, buscando um equilíbrio havia muito perdido, foi se levantando com dificuldade.

– Todo esse fanatismo religioso vai custar muito caro à sociedade. Espero que, no mínimo, o senhor consiga algo do seu deus, em favor dos pobres desamparados que habitam aqui.

As palavras raivosas saíram sem que José pensasse muito. Ele apertava com força o braço do sacerdote.

Sem demonstrar o mais leve abalo, o italiano acariciou o ombro de José. Ajeitou-se dentro da camisa surrada e profetizou:

– Se eu morrer por causa disso, ganharei a vida eterna. Se eu fugir agora e recusar o cálice que o Senhor me deu pra beber, um dia, quando morrer, serei cobrado pela omissão.

Ele se desvencilhou e se afastou, dando-lhe as costas.

Despediu-se, deixando o jovem em seu barraco. No terreno lamacento que percorria morro acima, foi deixando as pegadas do calçado de couro. Boca aberta para receber mais ar, tronco bem inclinado para a frente, ganhando tração nas pernas. Nem olhou para trás. Parecia saber exatamente aonde devia ir. José ficou parado na porta do casebre, tomando chuva, que estava apertando. Depois de dois minutos, a figura desapareceu em meio à escuridão e à água que caía do céu.

José, por sua vez, precisava descer o morro. Seu trabalho estava encerrado por aquele dia. Nada mais havia para ser feito ali. Iria buscar alguma leitura espiritualizada que pudesse chamar padre Branco à razão e usá-la contra ele. Todo o plano deveria estar arquitetado, pronto para ser executado, na noite seguinte. Naquele momento, não aguentava fazer mais nada. Precisava dormir, para acordar cedo e recomeçar.

Na manhã seguinte, ao ligar a televisão da cozinha de casa, enquanto preparava o café, tomou um susto. O jornal local informou que tinham sido contadas treze mortes na comunidade em decorrência das chuvas da madrugada. Na tela, foram exibidas fotos dos mortos, até que apareceu a do velho sacerdote. Seu trabalho estava bruscamente encerrado. Justamente do jeito que José não queria. Que derrota mais dolorosa!

Correu para o morro. Nunca havia dirigido de forma tão desvairada quanto naquela manhã. Acumulou duas multas por excesso de velocidade e uma por ultrapassar um sinal fechado. Chegando lá, ainda havia equipes de salvamento da guarda civil e bombeiros espalhados por todos os cantos. Procurou conversar com o maior número deles, para compreender o que se passara depois que deixara o lugar.

Padre Branco estava dormindo em um dos cômodos do seu barraco quando, rolando de uma altura de 12 metros, pedras enormes avançaram sobre a construção precária. Esmagaram as paredes principais e lançaram o homem por um barranco logo depois. O velho fora soterrado pela lama e pelas rochas.

Quando os membros do resgate conseguiram atingir o ponto onde estava o sacerdote, não havia mais providência a tomar. Retiraram-no dos escombros e limparam seu corpo. Segundo relatos, os bombeiros presenciaram a expressão de serenidade e paz em seu rosto já sem vida. Algumas testemunhas que ajudaram na operação afirmavam que sua face irradiava certo brilho, como se a pele reluzisse debilmente, reagindo ao sol que começava a despontar.

José fez questão de ir ao enterro, num pequeno cemitério a quarenta minutos do desastre. Deparou-se com uma multidão que, entoando cânticos em procissão, carregava nos ombros o caixão do italiano, como se fosse um troféu. Imagens de santos e de Nossa Senhora da Rosa Mística iam à frente, abrindo passagem, até a cova.

Antes de descê-lo ao buraco na terra, um sacerdote, provavelmente amigo do falecido, resolveu fazer um discurso. Enfatizou que padre Branco era santo. Um homem que viera da Itália sem saber falar nenhuma palavra em português e fora encarregado do pastoreio daquela comunidade.

Lá ficara por treze anos. Poderia ter vivido em uma casa confortável nas proximidades do morro, oferecida pela diocese do Rio de Janeiro, mas recusou. Consciente de que deveria desenvolver sua missão pautada pelo amor, desejava a mesma vida que seus filhos espirituais desfrutavam. Não importava se era ruim. Nela poderia ter seu encontro mais íntimo com o Cristo.

Em seu barraco, não se encontrava televisão ou rádio. Não havia chuveiro elétrico. O fogão de quatro bocas, com duas quebradas, era à base de bujão de gás. Dormia sobre uma trama de madeira disposta no chão, com um colchão velho por cima. Seu guarda-roupa era composto por dois ternos pretos, cinco camisas sociais brancas, uma capa de chuva e um casaco de lã, além de dois pares de sandálias de couro e algumas meias furadas. Uma escrivaninha com duas lamparinas para auxiliar nas leituras completavam a residência.

Livros religiosos em italiano, espanhol e português se amontoavam pelo chão dos dois cômodos que compunham a construção. Estava sempre com um enorme crucifixo de madeira no pescoço e, na lapela do terno, uma Medalha Milagrosa de Nossa Senhora, que dizia ter ganhado de um amigo que morava em Paris. Tudo atestado pelo próprio José, em várias visitas ao local.

Como tinha fartos cabelos brancos e pele alva, o povo lhe dera o apelido de Branco e, com o passar do tempo, esse virou seu nome. Tinha a barba sempre bem-feita pelo barbeiro vizinho, que não lhe cobrava um tostão, como de resto ninguém no morro. Fazia questão de almoçar todos os dias com uma das famílias que compunham sua paternidade espiritual. Levava sempre algum prato para partilhar com os filhos visitados.

Desde que havia chegado à comunidade, conseguira aumentar a assiduidade escolar das crianças de lá. Os traficantes pararam de recrutá-las em respeito aos pedidos do velho sacerdote. As mães lhe agradeciam com entusiasmo. Conseguira autorização do bispo para realizar as missas de domingo, pela manhã, na quadra poliesportiva no topo do morro. Ficava lotada de gente. Era um acontecimento festivo. Havia até uma banda que tocava durante a celebração religiosa.

Nascera em Pádua. Tinha especial devoção por Santo Antônio. Todo dia 13 de junho, o morro inteiro era contagiado pela festa que Branco preparava em homenagem ao santo. Dizia que muitos milagres tinham sido alcançados por seus filhos através da intercessão de Antônio de Pádua. José ouvira histórias contadas por gente humilde a respeito de aparições do referido santo a Branco. Ele não acreditou, é claro.

O caixão foi coberto pela terra e a lápide, depositada. Naquele momento, o sacerdote que fazia as homenagens a Branco se virou para as pessoas e lançou um desafio: quem tivesse a coragem e a determinação de doar sua vida pelos mais necessitados que ocupasse a vaga deixada pelo padre.

O jovem sentiu o coração apertado. José não pôde ir embora para casa. Observou a retirada silenciosa da multidão. Esperou até que o último partisse para, então, abordar o sacerdote, retendo as lágrimas que queriam transbordar:

– O que o senhor quis dizer com ocupar a vaga do padre Branco?

– Você o conheceu, rapaz?

– Sim. Convivi com ele por uns quarenta dias – respondeu José, um tanto sem graça.

– Você parece vir de família abastada. O que fazia lá no morro?

Era o tipo de pergunta que irritava José desde os tempos de faculdade. Morava em Ipanema e era um pouco discriminado pelos próprios colegas de sociologia por causa disso, já que bonito era ser do proletariado. Ele não preenchia o perfil ideal do sociólogo de universidade pública.

– Olha, era meu trabalho! – respondeu, irritado, pensando ser vítima de preconceito.

– Não quis ofendê-lo – garantiu o padre, abrindo um sorriso desarmado.

Ele pegou no bolso uma pequenina Bíblia, entregou-a aberta a José e, apontando, pediu que lesse dois versículos.

– Evangelho de São Lucas, capítulo 14?

José olhou sem entender para o padre, que insistiu para que fizesse a leitura em voz alta.

– "Grandes multidões acompanhavam Jesus. Voltando-se, ele disse: 'Se alguém vem a mim, e não dá preferência mais a mim que ao seu pai, à sua mãe, à mulher, aos filhos, aos irmãos, às irmãs, e até mesmo à sua própria vida, esse não pode ser meu discípulo.'"

José ergueu os olhos em busca de respostas.

– Branco era verdadeiramente um discípulo de Cristo, entendeu? Abandonou tudo pela causa, até a própria vida. Ou você acha que ele não sabia que enfrentaria a morte naquela zona perigosa em que vivia? Tem ideia de quantos religiosos amigos foram até ele para tentar retirá-lo de lá?

Seu olhar era sério. O silêncio tomou conta por um minuto.

– Faça só mais um favor para mim, rapaz. Leia o versículo 33.

Ele segurou com firmeza o ombro de José, que imediatamente prosseguiu:

– "Do mesmo modo, portanto, qualquer de vocês, se não renunciar a tudo o que tem, não pode ser meu discípulo."

Fechou a Bíblia e a estendeu para devolvê-la. Com um sorrisinho, o padre recusou: era um presente para que se lembrasse de Branco.

José não conseguiu dormir naquela noite, nem nas seguintes. O conforto do apartamento dos pais, na zona sul do Rio de Janeiro, o emprego agradável que lhe dava a impressão de lutar por causas sociais justas, tudo tinha perdido sentido para ele. Depois de ver de perto o que era doar de verdade a vida por amor, não conseguia mais pensar que caminhava no rumo certo.

No sábado, adormeceu com a televisão ligada. Sonhou que caminhava pela mesma comunidade onde havia desenvolvido seu trabalho, devastada pela chuva. Não havia ninguém nas ruas, talvez porque era noite e havia pouca iluminação. Um cheiro pútrido infestava o ar. Com passos rápidos e um pouco de medo, ele se dirigiu ao barraco onde vivera Branco. Ao se aproximar, percebeu que havia uma luz acesa. Por ser muito inconstante, concluiu que se tratava de uma vela.

Entrando, deparou-se com o velho, de rosto iluminado, cabelos penteados para trás e vestes brancas. Estava sem as sandálias de couro. Sentado no chão, de pernas cruzadas, convidou-o a entrar com um gesto. Imediatamente José sentiu vergonha de si mesmo. Entretanto, padre Branco sorriu e disse que não havia nada a temer. O tempo estava do seu lado. Mas a decisão precisava ser tomada agora.

José se ajoelhou diante de Branco e, com as mãos postas, lhe perguntou: "Que decisão? O que devo fazer da minha vida?" A resposta foi dada por um simples gesto. O italiano retirou do pescoço o cordão com o crucifixo de que tanto gostava e o enrolou nas mãos do rapaz. Sorrindo, deu três tapas carinhosos no rosto de José, levantou-se e saiu pela porta, deixando-o em prantos.

Domingo bem cedo, logo que se levantou da cama, José foi até a igreja próxima à sua casa. Procurou pelo pároco. Explicou-lhe que queria ser ordenado sacerdote, relatando toda a história do morro. Depois, falou sobre o sonho que tivera. Queria seguir o mesmo destino de padre Branco, se possível tomar conta de cada uma das famílias que compunham o rebanho deixado pelo santo italiano.

O pároco lhe pediu calma e disse que queria vê-lo semanalmente, sempre aos sábados pela tarde. Nunca ouvira falar de padre Branco, mas tinha lido nos jornais sobre as mortes naquela comunidade. Se, após um ano de encontros, onde discutiriam coisas da fé e da vida eclesiástica, continuasse a desejar o sacerdócio, seria encaminhado ao seminário da região, com uma carta de recomendação. José concordou.

– Não quero acordar a Cristina – disse ele, já no presente. – Parece em paz e com poucas dores. – Fez um carinho nos cabelos de minha mãe. – Ela me disse que você é psicóloga, Gabriela. Tem muitos pacientes?

– Tenho alguns, sim. São quase oito anos de profissão – respondi, encarando o sacerdote com tristeza.

– Posso saber se há algum padre entre eles? – perguntou, com um olhar cândido.

– Infelizmente, meu sigilo profissional me impede de dar essas informações às pessoas. Gostaria muito de falar, mas não posso mesmo.

Não entendia bem o que ele queria com aquela pergunta.

– Sabe, ser padre não é nada fácil. As pessoas acham que somos livres porque não temos família para cuidar, mulher para encher o saco... – brincou ele, rindo de novo.

Permaneci examinando suas palavras, em silêncio.

– Mas somos, no fundo, muito solitários. Há coisas na vida que o ser humano precisa enfrentar sozinho. Ocorre que o padre é um homem muito mais só do que os outros. Acaba enfrentando tudo sozinho.

José me encarava com os olhos pesados pela falta de sono. Sem conseguir entender aonde ele queria chegar, indaguei:

– Imagino. Vocês não têm com quem dividir as angústias do dia a dia? Não há padres mais velhos que possam dar conselhos aos mais novos sobre as crises, as dificuldades do trabalho, do coração e da cabeça?

– Gabriela, os padres são homens falhos, como todos os outros. Sempre que busquei auxílio naqueles com quem trabalhei, não fui bem recebido. Alguns chegaram a me ridicularizar. Muitas vezes os mais velhos pensam que são melhores que nós porque sobreviveram até ali. Um deles chegou a me dizer que padres jovens não levam a sério a caminhada com Cristo – explicou ele, cruzando os braços.

– Mas a história do padre Branco é linda! Ele era um homem do bem. Não pareceu discriminar o senhor e foi fundamental para mudar sua vida...

– Ele está na glória do Senhor – interrompeu padre José. – Uma verdadeira felicidade para ele. Infelizmente para mim, ele se foi. Não existem muitos exemplos como ele dentro do clero. Aliás, justiça seja feita, dentro de qualquer religião, não só na Igreja Católica. Tenho amigos que são pastores evangélicos; outros, monges budistas. Passam pelas mesmas dificuldades que eu! – O padre tomou um pouco de ar e prosseguiu: – Precisava lhe pedir um favor. Neste tempo que tenho vindo aqui assistir sua mãe, notei que você é uma mulher de valor. Pessoa de bom coração. Apesar de não ser católica praticante, percebo que não me julga por ser padre. Enfim, não me parece uma pessoa preconceituosa. Gostaria que aceitasse como paciente um sacerdote que mora em minha paróquia e está sob minha responsabilidade. Pode ser? Não se preocupe, pois temos dinheiro para pagar.

Ele colocou as mãos nos bolsos. Fiquei em silêncio por um instante. Não sabia o que dizer. Nunca tinha me ocorrido que sacerdotes pudessem ter problemas psicológicos como qualquer homem. Mais ainda: que procurassem auxílio profissional! Na verdade, nenhum dos meus colegas, até onde eu sabia, atendia clérigos.

Precisava pensar rápido algo para dizer ao homem. Eu tanto odiara a Igreja Católica por causa da morte do meu pai e, ali, encarava um padre que pedia minha ajuda. Não era qualquer sacerdote. Era um homem sincero e amoroso, que levava alegria aos corações doentes daquele hospital. Homem admirado e querido pela minha mãe.

Definitivamente, o mundo era muito louco. Sem que eu quisesse, a Igreja se aproximara de mim pela figura de um padre mais jovem naquele momento de dor, no qual eu estava perdendo minha mãe. O mais interessante é que, assim como eu precisava da ajuda de Deus, Ele queria a minha.

Agora começava a achar que Deus realmente existia, mas era um brincalhão. Divertia-se ao ver os dilemas pesados que nos impunha. Quanto mais difícil a situação pela qual a pessoa passava, mais prazer Ele tinha. Como fazer para escapar dos seus desígnios? Será que em algum ponto da vida alguém conseguiu fugir das armadilhas lançadas pelo Todo-Poderoso?

CAPÍTULO VI

Enterro

Quando cheguei o relógio, eram sete e quinze da manhã. Já havia movimento nos corredores, fora da sala onde eu estava. Na mesa, o caixão estava aberto. Extremamente cansada, eu o olhava fixamente, de pé. Não havia ninguém comigo naquele momento. Os amigos e familiares ainda não tinham chegado, mesmo porque só começara a avisá-los na alvorada.

Da janela no segundo andar do prédio, era possível avistar as lápides do cemitério, à direita. O sol já se fazia presente e o dia prometia beleza. Nenhuma nuvem no céu. Meu coração, parado como o tempo, estava anestesiado. Não sentia tristeza. Não havia nem uma lágrima em meus olhos. Tomava os acontecimentos daquela manhã como algo natural. A dor que sentira na partida do meu pai não surgira naquele velório.

Desde pequena, a relação com minha mãe fora muito burocrática. Não havia uma conexão amorosa, uma ligação afetiva forte. Não tínhamos muita intimidade; ela me deixava muito a distância. Sempre fora uma mulher fria, preocupada em me educar corretamente; queria que eu me transformasse em uma espécie de senhora aristocrática. Não deu certo...

Claro que a respeitava e lhe queria bem: era minha mãe! Contudo, não nos aprofundávamos nos sentimentos. Comparando ao que vivia com meu pai, sentia até certa culpa, pois minha preferência era bastante óbvia. Quando ele morreu, o planeta pareceu ter se partido ao meio. Meu coração doía de verdade.

Até quando a doença veio com força, minha mãe não se deixou conquistar. Seu coração parecia uma fortaleza constantemente fechada. Comigo, jamais aceitou uma conversa mais franca. Defendia-se o tempo todo. As emoções eram todas filtradas pela sua mente. Mesmo durante a internação, não permitiu que eu me aproximasse.

Até minha tia Irene enfrentava bloqueios afetivos. Conseguia, em alguns casos, infiltrar-se pelas brechas, mas era penoso. Presenciei alguns debates entre as duas no hospital. Coisas sobre seus pais. Não eram conversas amenas ou agradáveis, eu percebia pelo semblante de Irene. Depois que eu entrava no quarto, as duas ficavam alguns segundos em profundo silêncio, olhando para direções opostas. Nos minutos seguintes, voltava tudo ao normal.

Sorriso honesto nos lábios de Cristina era algo raro. Não me lembro, nem na infância, de obter algum. Em certas ocasiões, meu pai conseguia, com muita habilidade. Irene também. Por fim, padre José. Mas, eu desconfiava, era por tudo o que ele representava para ela: uma volta à Igreja Católica e as pazes com Deus. A figura do sacerdote realmente lhe trazia bons fluidos.

O mais incrível é que, ao lado do caixão naquele momento, olhando-a, identificava um indisfarçável sorriso nos lábios sem cor. Uma boneca de cera em tamanho natural, bastante alinhada, impecável, como havia sido durante toda a vida. O rosto sereno, cabelos penteados e o belo vestido azul. Olhos cerrados, aparentando estar em profundo sono, vivenciando um sonho muito agradável.

Ela me condenava por não ter sido uma mulher religiosa. Foi das poucas coisas íntimas que chegou a me falar antes de morrer. Queria que eu entendesse que não era possível ignorar o mundo espiritual. Tudo deveria ter um equilíbrio. Para mim, entretanto, era o corpo, a mente e o coração. O resto não passava de invenção, fantasia ou superstição.

Culpava-me também pelo fim do meu casamento. Dizia que meu afinco no trabalho havia prejudicado a função de esposa, que eu não dera a atenção devida a Eduardo... Como ela estava doente, não queria responder com grosserias. Minha mãe era uma mulher presa ao passado, tradicional demais para compreender o que ocorria com minha carreira e o casamento. Lembrava agora como tudo acontecera.

– Tenho sido constantemente rejeitada por você, Eduardo.

Entrei de sola no assunto, decidida a encurralá-lo. Ele percebeu o ataque, mas não desviou os olhos do jogo de futebol ao vivo.

– Meu Deus! Esse papo de novo? Olha, trabalhei muito hoje, estou tão cansado...

Ele demonstrava não estar a fim de nenhuma conversa séria, torcendo o nariz e os lábios em direções opostas, levantando os braços em exaltação.

– Não entendo o que está se passando. Você não quer conversar nunca. Quando é um bom momento para conversarmos sobre nós? – questionei, inclinando-me na cadeira em sua direção. – Você vive aborrecido com as coisas que faço. Sempre reclama que fico pegando no seu pé, não deixo você em paz. Não tem praticamente nenhuma palavra de carinho ultimamente. – Voltei ao silêncio, esperando por uma resposta que não veio. – Posso perguntar uma coisa? Será que você pode me responder honestamente?

Toquei sua coxa, chamando-lhe a atenção. Começou o intervalo do jogo, com comerciais barulhentos, e ele baixou o volume da televisão. Enfim olhou nos meus olhos.

– Já vi que você não vai me deixar em paz hoje. Vamos lá, o que é? – indagou, com a voz arrastada, totalmente sem paciência. Pelo menos naquele momento eu tinha sua atenção total.

– Existe outra mulher? Pode me dizer! Você sabe que não sou de dar escândalo. Só preciso saber o que está acontecendo – disse, controlada e firme.

– Não sei de onde você tirou isso! – respondeu, indignado, erguendo-se do sofá.

Segurei-o e ele voltou a se sentar. Respirou fundo e falou:

– Não. Não tenho ninguém. Se tivesse, teria dito.

Parecia ser verdade. Não satisfeita, porém, perguntei:

– Então você não me quer mais. Não me ama mais, Eduardo?

Minha voz começava a falhar um pouco. As lágrimas lutavam para não escorrer. Não podia chorar naquele instante em que o confrontava.

– Não se trata disso. Eu gosto de você, só que não sinto mais o que sentia há seis anos. Acho que deve ser uma coisa natural, o desgaste do dia a dia, sei lá... Olha, tenho pensado um pouco nisso ultimamente. Não estou feliz e ainda não cheguei a nenhuma conclusão. Não quero que você fique triste ou pense mal de mim. Mulher não há. Isso eu garanto.

Eduardo passou as mãos no rosto e no cabelo.

– Se andou pensando nisso, por que não quis falar comigo? Afinal, diz respeito a mim, não é? – elevei a voz, um tanto indignada.

– Pensei que ainda não estava pronto para falar dessas coisas. Ainda não tenho nenhuma conclusão, já disse! Também não estou confortável neste casamento. Acho...

Ele se interrompeu, tapando a boca, como que segurando a frase que estava por vir.

– Pode falar! É melhor que você diga tudo agora. Não aguento mais esta situação. Vamos resolver logo de uma vez. O melhor remédio é uma conversa aberta. Não vale mais viver de fingimento.

Segurei firme seu braço direito. E então ele falou:

– Você já foi a coisa mais importante da minha vida. Você sabe disso. Só que os anos foram se passando e outras coisas apareceram. Enfim, hoje você não é a minha prioridade.

Eduardo me olhou fixamente. Não esbocei nenhuma reação. Estava bastante atordoada, me segurando para não chorar.

– Se você quiser continuar a viver comigo desta forma, vamos nos dar muito bem. Não posso dar toda a atenção que você quer, mas podemos tentar nos adaptar ao presente... – acrescentou, um pouco distante.

– Não dá para ser assim, não. Deste modo, não posso mais. Se pudesse, não estaria aqui perguntando essas coisas. Infelizmente, vejo que você não me quer mesmo. Minha impressão era verdadeira.

Duas lágrimas escaparam dos meus olhos vermelhos. Não me preocupei em enxugá-las. Outras viriam, com certeza. Apenas me levantei e fui para o quarto. Ele não apareceu por lá aquela noite. Provavelmente dormiu no sofá.

Uma semana depois, ele se mudou do apartamento e foi morar no Jardim Botânico. Permaneci lá mesmo, já que o imóvel era da minha mãe. Desmarquei todos os pacientes das duas semanas seguintes, não tinha a menor condição de trabalhar. Peguei o carro e fui sozinha passar uns dias com uma amiga em Teresópolis. No meio do mato, talvez fosse mais fácil esquecer todo aquele tormento.

A ferida do dissabor amoroso continuou durante muitos anos, aparecendo nos dias mais tenebrosos. Não fora esquecida. Mais uma que os recursos e tecnologias não conseguiram solucionar! Pensei em voltar a fazer análise, mas desisti. Mais um problema que eu acabei por depositar no colo de Nossa Senhora de Lourdes. Só mesmo algo sobrenatural para dar conta disso.

A morte de papai havia sido meu primeiro baque. Tempos depois, quando a minha vida parecia ter se estabilizado, veio a separação e, ato contínuo, a notícia da doença de Cristina. Deus havia enviado uma grande tempestade, que destruiu meu barco, na calada de uma noite horrorosa, em alto-mar. O povo, entretanto, diz que, após a tempestade, vem a bonança. Retomei meu rumo e recoloquei minha vida nos eixos novamente, mas não estava feliz.

A primeira pessoa da família que chegou ao velório foi tia Irene. Toda afobada, vinda diretamente do aeroporto Santos Dumont. Olheiras se destacavam sob os olhos vermelhos. Abriu logo um sorriso. Porém, não dava para disfarçar todo o mar de dor que havia chorado. Se bem a conhecia, estava lutando contra a tristeza e se fazia de forte. Não adiantava dizer para ela que sua dor estava estampada no rosto, não traria nada de bom naquele momento.

– Querida, você organizou tudo sozinha! Coitada!

Ela me beijou na bochecha. Segurou-me pelos ombros e me olhou nos olhos. Não encontrou o sofrimento esperado e se impressionou.

– Tia, está tudo bem. Não precisa se preocupar com burocracias, já cuidei de tudo. O enterro está marcado para as nove. Os parentes já foram todos avisados. Devem estar a caminho. Meu coração está sereno.

Sorri afetuosamente e lhe fiz um carinho na bochecha.

– Posso cuidar do resto. Só estou um pouco esbaforida porque acabei de descer do avião e tomar um táxi até aqui. Trouxe poucas coisas nesta malinha verde. Preciso voltar para São Paulo amanhã. Depois, venho ficar mais tempo com você. É que tenho alguns compromissos por lá.

Irene segurava meus braços com firmeza. Na realidade, ela é quem buscava apoio emocional, não eu.

– Não precisa. De verdade, tia. Não deixe de fazer suas coisas por minha causa. Tudo já está resolvido. Sério! Estou me sentindo muito bem. A duração da doença de mamãe preparou meu coração para sua partida.

Encarei-a com toda a tranquilidade.

– Eu também, minha querida. Vamos aproveitar que estamos só as duas e fazer uma oração ali ao lado do corpo dela?

Ela começou a andar para perto do caixão, me levando pelo braço.

– Tia, só sei rezar coisas básicas. Não conheço essas orações que você e a mamãe faziam no grupo. Sabe como é... Nunca fui devota de nada nem simpatizo muito com Deus!

O fim da frase acabou escapando. Irene deu um passo para trás, assustada. Seus olhos não mentiam: estava horrorizada. Como eu podia dizer algo assim no dia do enterro da irmã dela?

– Desculpe, tia. Não era bem isso que eu queria dizer. Estou um pouco chateada com Deus. Ele me tirou meu pai, acabou com meu casamento e, por fim, levou minha mãe. Não é exatamente a companhia mais agradável do mundo para mim, entende?

– Claro, meu amor. Não me assustei com nada, fique tranquila. Aliás, você pode expressar todas as suas opiniões do jeito que quiser, na hora que bem entender. Comigo, converse sempre livremente, não precisa ficar escolhendo palavras. Meu rosto está deste modo por causa da viagem e da péssima noite.

Ela abriu um sorriso doce. Fiquei perto das flores, acima da cabeça de mamãe. Irene se postou do meu lado direito, tocando o corpo sem vida. Fechou os olhos e começou pela Ave-Maria. Imediatamente, acompanhei. Depois se seguiram outras preces conhecidas. Ela estava muito concentrada. Eu, como um papagaio, apenas repetia as palavras. Olhava com ansiedade para a porta da sala do velório.

Quando tia Irene se cansou e foi se sentar em uma das cadeiras próximas à janela, chegaram as senhoras do grupo de oração. Eram, ao todo, sete, mas nem de perto as mulheres eufóricas que encontrei tantas vezes, cantando no apartamento de Copacabana.

Como sempre, foram muito afetuosas comigo. Seus rostos estavam marcados pela derrota. Tentaram, dia após dia, fazer com que Deus atendesse suas preces: que a doença retrocedesse até o ponto em que o corpo de Cristina estivesse liberto de todas as chagas. Que sabor mais amargo tinha aquele velório!

Ao que parecia, Deus não era gentil nem com seus melhores amigos. Essas mulheres, que não faziam outra coisa senão servi-lo, tinham espinhos enormes cravados no coração. As orações que agora proferiam eram de despedida, encomendando a alma que, àquela altura, já estava completamente separada do corpo.

Outros chegaram. Alguns amigos da família e parentes do meu pai. Todos em atitude respeitosa. Eu não tinha muita ligação com aquelas pessoas. Ficava feliz por minha mãe: provavelmente significava algo de bom para eles. Suas palavras eram de consolo, algumas religiosas, mas comedidas.

– Vi na papeleta da porta que o enterro será às nove – comentou um senhor, de terno preto e camisa branca, com uma enorme cruz no pescoço. – Bom dia, sou o padre André. A senhora é membro da família, não é isso? – perguntou-me em voz baixa.

– Sim, sou filha da falecida. O que posso fazer pelo senhor, padre?

Até onde sabia, ninguém havia convidado um sacerdote para o velório. Pelo menos eu não fora avisada de nada parecido.

– Sou capelão aqui deste cemitério. Gostaria que eu fizesse uma pequena oração antes que o corpo desça à terra? Tenho este tempo livre, pois o próximo enterro só se dará por volta de dez horas – explicou ele, com um sorriso complacente.

– Claro que sim, ficaríamos honrados, padre.

A resposta veio automaticamente a meus lábios. Já não tinha mais nenhuma paciência para suportar criaturas religiosas com suas ladainhas decoradas, mas, infelizmente, meu cérebro se esquecera de dar esse recado à língua.

– Queridos filhos, vamos nos levantar e nos aproximar aqui da nossa irmã Cristina para fazermos uma oração por ela. Vou inicialmente ler um trecho da Primeira Carta de São Paulo aos Coríntios, capítulo 15.

Fez uma pausa e aguardou até que todos no recinto obedecessem ao seu comando.

– "Todavia, alguém dirá: 'Como é que os mortos ressuscitam? Com que corpo voltarão?' Insensato! Aquilo que você semeia não volta à vida, a não ser que morra. E o que você semeia não é o corpo da futura planta que deve nascer, mas simples grão de trigo ou de qualquer outra espécie. A seguir, Deus lhe dá corpo como quer: ele dá a cada uma das sementes o corpo que lhe é próprio. Nenhuma carne é igual às outras: a carne dos homens é de um tipo, a dos animais é de outro, e de outro a dos pássaros e de outro ainda a dos peixes. Há corpos celestes e há corpos terrestres. O brilho dos celestes, porém, é diferente do brilho dos terrestres. Uma coisa é o brilho do sol, outra o brilho da lua, e outra o brilho das estrelas. E até de estrela para estrela há diferença de brilho."

Ergueu os olhos da Bíblia e olhou especialmente em minha direção. Não esbocei nenhuma reação. Aquilo não me dizia nada em especial.

– "O mesmo acontece com a ressurreição dos mortos: o corpo é semeado corruptível, mas ressuscita incorruptível; é semeado desprezível, mas ressuscita glorioso; é semeado na fraqueza, mas ressuscita cheio de força; é semeado corpo animal, mas ressuscita corpo espiritual."

O padre, então, fechou a Sagrada Escritura.

– Meus queridos, nossa irmã Cristina ressuscitou hoje. Aqui, nesta sala, o que vemos é apenas uma recordação de como ela era. Agora, como disse São Paulo, ela é muito mais bela! É gloriosa, cheia de força. Vive em seu corpo espiritual. É uma criatura feliz, podem acreditar! – encerrou seu discurso, todo sorridente.

Não sabia se tudo aquilo, supostamente escrito pelo santo, era verdade, mas uma coisa me intrigava: a parte em que o padre disse que, por ser gloriosa e cheia de força no seu corpo espiritual, minha mãe era uma criatura feliz.

Pensando em todo o sofrimento pelo qual ela passara, se fosse verdade que havia vida após a morte, ela deveria estar bem contente. Tinha se livrado de uma prisão. Talvez até já tivesse se encontrado com papai. Essa poderia ser uma explicação lógica para aquele sorrisinho que eu identificara logo que arrumara o corpo dela para o enterro. E como ela queria vê-lo de novo...

Se não houvesse algum tipo de prazer em sua partida, não existiria qualquer tipo de sorriso. Se ela não estivesse em paz, o rosto não exibiria aquela expressão de serenidade. Diante de tanto sofrimento causado por uma doença tão violenta, qual seria a explicação? Comecei, no final, a dar algum crédito ao padre.

Enquanto pensava nas palavras do homem, chegou uma senhora responsável pelo cemitério. Era hora de levar o caixão pela lateral do prédio até a área das lápides, onde minha mãe seria, enfim, enterrada.

Com bastante sacrifício, alguns homens levantaram o caixão e o colocaram gentilmente sobre o veículo. Restou apenas um deles para conduzir. Pus-me do lado direito do caixão. Tia Irene ficou à esquerda. As demais pessoas seguiam atrás, em cortejo.

No início do trajeto, seguíamos todos em silêncio. Dava para ouvir as duas rodas de borracha do veículo esmagando as folhas secas no chão de concreto e quebrando alguns gravetos das árvores que providenciavam um pouco de sombra entre as alamedas.

Ao nos aproximarmos do jazigo da família, onde meu pai estava enterrado, as senhoras do grupo de oração e tia Irene começaram a entoar cantos religiosos. Outras pessoas aderiram à iniciativa. As músicas eram harmônicas e suaves e diziam belas coisas sobre a proteção que a Mãe de Deus dava aos seus. Se tudo aquilo fosse verdade, o sorriso de minha mãe seria plenamente justificável.

Atingimos o ponto indicado para depositar o caixão. Uma pesada tampa de concreto foi removida com o auxílio de mais três funcionários do cemitério. Precisaram, inclusive, usar vergalhões de aço para fazer uma alavanca e separá-la da laje e, assim, levantá-la com os braços mesmo.

Sentia-me um pouco fraca. Fiquei na dúvida se era a emoção de ver a descida do caixão ou se era mesmo a fome que agora me acometia. Meu corpo cobrava o preço por estar de pé havia tantas horas, numa atividade exaustiva, sem recompensa.

Torcia para que tudo acabasse logo, antes do provável colapso do organismo. Os homens estavam colocando cimento para lacrar a tampa em cima da laje. Com os últimos retoques, algumas pessoas depositaram as flores que, na sala do velório, enfeitavam o caixão. Era tanta flor que algumas ficaram pelo chão, em frente ao jazigo.

Quando me virei para partir, percebi os olhos escuros que me fitavam. Ele estava encostado na árvore próxima, de braços cruzados. Para variar, seus cabelos estavam desorganizados, e as roupas não ficavam atrás. Aquele homem precisava de um terno escuro novo! Bem que eu estava curiosa para saber onde ele havia se metido. Nunca deixara de estar presente nos momentos mais difíceis de minha mãe. Caminhei em sua direção.

– Padre José! Achei que a empregada da casa paroquial não tinha dado a notícia da morte da minha mãe. Pena que só chegou agora, poderia ter encomendado o corpo.

Em respeito à minha mãe, eu estava me queixando da sua ausência.

– Gabriela, ela não pôde me dar nenhum recado. Foi o enfermeiro que fazia a rotina do turno da madrugada quem me avisou que Cristina havia morrido. Como estava fora de casa havia mais de 24 horas, fui lá e tomei um banho. Peguei o carro e corri para cá. Deus me ajudou! Consegui ver todo o cortejo até o momento em que ela foi colocada aí. Pude fazer minhas orações pela sua mãe. Com toda a certeza ela está na presença de Deus. Foi conduzida pela Virgem Santíssima e pelos seus santos anjos! – disse com tanta tranquilidade que quase me convenceu.

Não tive resposta. Uma coisa estranha dentro de mim dizia que eu deveria conversar mais com aquele homem. Havia qualquer coisa de sábio nele, apesar de termos praticamente a mesma idade. Talvez por ter rompido com uma vida de proteção familiar para cair em uma realidade tão dura como a da pobreza no Rio de Janeiro. Sem falar na rotina que levava em um hospital, onde tantas mortes ocorriam.

– Pensei também, Gabriela, em convidá-la para participar de um encontro que organizei na paróquia. Nosso tema será a forma como Cristo cura os corações feridos pelas batalhas do dia a dia. Acho que será interessante. Temos alguns padres e psicólogos para realizarem as palestras. No fim do dia, encerraremos com um jantar para os participantes. Você será minha convidada de honra, que tal?

– Vou pensar, José. Queria conversar sobre outros temas e sem a presença de tantas pessoas. Em particular, com você. Pode ser assim. Que tal? – perguntei, sorrindo.

O efeito foi imediato. Ele se afastou da árvore quase num pulo. Os braços penderam ao lado do corpo, as pernas um pouco apartadas, em posição de alerta. Seus olhos brilharam, apesar das olheiras marcadas. Ele abriu um sorriso largo, radiante, convidativo, como se tivesse ganhado um prêmio na loteria.

– Basta você marcar. Pode ser em qualquer horário, na parte da tarde ou mesmo pela manhã, antes da missa que celebro todos os dias. Se não der, podemos tentar no fim de semana, conforme sua disponibilidade. Para mim será uma honra enorme!

Assim foi feito. Combinamos para o sábado seguinte. Eu teria alguns dias para preparar minhas perguntas.

Até aquele dia, eu não dera nenhuma resposta ao pedido de José para atender um sacerdote que ele conhecia. Precisava aceitar ou recusar logo, pois aquilo estava me preocupando, fora minha falta de educação. Consciente do meu sofrimento e do momento delicado, ele não me cobrou.

CAPÍTULO VII

Santuário

Logo no meu primeiro dia no santuário, tivera aquelas estranhas sensações. Talvez, após tantos anos de distanciamento das coisas místicas, a menina dos mares do Rio de Janeiro renascia dentro de mim.

Consultei o relógio. Estava marcada uma missa com o grupo de peregrinos na cripta, em português. Eu não podia ficar parada em frente à imagem coroada de Nossa Senhora de Lourdes relembrando minha trajetória. Tinha ido até aquele local santo com um propósito muito bem definido.

Subi em direção à cripta do santuário, que fica entre a Basílica Superior e a Basílica do Rosário. Duas basílicas, uma sobre a outra. Quando Miguel nos contou isso, fiquei bastante curiosa. Nunca ouvira falar em uma construção assim! Teriam sido descuidados os franceses? Ou será que houve algum erro arquitetônico na mais antiga, situada na parte de baixo?

Desde sua fundação, o santuário crescera demais. Surgira a necessidade de um local maior para as celebrações importantes e, aproveitando o espaço físico de que dispunham, os franceses edificaram as duas igrejas na mesma rocha, chamada de Massabielle.

A construção ocorreu entre 1863 e 1866 e a própria Santa Bernadette, a quem Nossa Senhora fez as aparições na pequena cidade de Lourdes, assistiu à sua consagração antes de partir para o convento de Nevers, outra cidadezinha próxima, onde passou os últimos anos como religiosa.

Logo que adentrei o corredor de pedra que leva à cripta, senti um arrepio. Meu coração passou a bater num compasso diferente. Ali havia algo de sobrenatural que eu não sabia explicar. As pessoas paravam em frente a uma imagem enorme de São Pedro sentado em um trono. Um dos seus pés era bem gasto, de tanto que o povo passava a mão e se benzia. Achei aquilo muito estranho.

– Elas estão fazendo uma oração ao santo. – Como sempre, Teresa aparecia do nada ao meu lado. – É uma tradição. Fazem o mesmo lá na Basílica de São Pedro, no Vaticano. Esta imagem é uma réplica da que existe lá. Siga essas pessoas, Gabriela, que mal pode fazer?

Já que estava no embalo, não hesitei em pedir ao primeiro papa da Igreja Católica que falasse com o "Patrão" dele a meu favor. Precisava de muita cura para repaginar a minha vida, e aquela visita ao Santuário de Lourdes aparentava ser a última instância para meu pleito.

Meus pensamentos foram bruscamente interrompidos pelos ecos de um canto em uma língua que parecia ser eslava. Harmonioso e incompreensível para mim, mesclou-se ao frio dos pés de bronze da imagem. Senti uma grande paz em meu peito, algo que não acontecia havia muito tempo.

Notei que as pessoas do meu grupo de peregrinos, encostadas na parede de pedra do charmoso corredor, esperavam que a celebração na cripta acabasse para entrar e tomar assento. Algumas, interessadas no que ocorria lá dentro, entraram e se sentaram nos últimos bancos. Fiz o mesmo.

O espaço era mínimo. Uma igreja em miniatura. Belíssima! Pequenos arcos góticos a ornavam sobre colunas de pedra e havia um altar acolhedor, com um painel de madeira atrás da imagem da Virgem Maria, que segurava o Menino Jesus no colo. Um pequeno crucifixo estava à frente da escultura, à altura de seus pés, sobre o sacrário. Ao lado, as velas estavam acesas.

Voltado para o altar estava um sacerdote careca, alto e muito magro. Trajava branco e estava ajoelhado em silêncio, admirando uma hóstia enorme exposta no altar. De tão imóvel, parecia hipnotizado pela presença que dominava todo o ambiente. O ostensório era uma imitação do sol, com raios dourados, dando uma impressão magnífica.

Na minha diagonal esquerda, estava o grupo de senhoras que puxava aquele canto admirável. Que afinação! Deviam ter ensaiado muito. Estavam muito alegres, sorriam enquanto declamavam a música. Aproximei-me de uma baixinha, loura e larga. Perguntei, em voz baixa, de onde eram. Ela me respondeu em inglês: Croácia.

Elogiei a música, o grupo delas e a celebração. Ela me sussurrou muito rapidamente que se tratava de uma adoração e que aquela hóstia gigante, exposta dentro do sol de ouro, era o Corpo de Cristo! Senti mais uma vez um leve arrepio na nuca.

Naquele momento, o padre se levantou e, pegando o imenso ostensório, encarou o pequeno número de fiéis na cripta. Disse algumas palavras que não compreendi. Imediatamente, os croatas e os demais participantes se ajoelharam. Mesmo sem entender o porquê, vi meus joelhos se dobrarem.

Resolvi, pois, não lutar contra aquela força estranha que me envolvia. Solenemente, o sacerdote ergueu a peça dourada e traçou uma espécie de sinal da cruz. Era a bênção final. A cerimônia estava encerrada.

Após um breve momento de completo silêncio, todos começaram a se levantar vagarosamente, com os rostos compenetrados, como se tivessem ingressado em um transe. Eu, por outro lado, me sentei. Sem o costume de me ajoelhar em um pedaço de madeira, senti um pouco o esforço. Pior que fiquei naquela incômoda posição só por uns minutos, mas foi o suficiente.

Enquanto saíam, os fiéis entoaram mais um canto que, a julgar pelo entusiasmo deles, parecia bastante conhecido. Um a um, em fila indiana, deixaram o local, passando ao corredor de pedra, os rostos iluminados como o sol. Àquela altura, o padre já havia guardado a hóstia e o ostensório em seus devidos lugares.

Ele retirou os paramentos e veio na direção dos bancos. Quando o vi se aproximar, abri um sorriso. Ele parou na minha frente e também sorriu. Quando me levantei, ele me estendeu a mão. Eu o cumprimentei e o padre me perguntou de onde eu vinha. Expliquei que fazia parte do grupo que estava para celebrar a missa lá, do Brasil. Ele colocou as mãos na minha cabeça e, em croata, deu-me uma bênção especial.

Senti o coração se aquecer. Era como se não só um homem estivesse impondo as mãos, mas várias pessoas! O calor se espalhava por todo o meu corpo. Fui totalmente envolvida por um carinho especial. Não era algo humano; transcendia a carne. Acendeu uma pequena chama de esperança. O medo que habitava em mim havia tempo recuou um pouco.

Quando o padre soltou minha cabeça e começou a andar em direção à saída da cripta, minhas lágrimas rolaram. Ajoelhei-me em um dos genuflexórios mais à frente e enterrei o rosto nas mãos, em prantos. Não queria que ninguém me visse chorando. Sabia que havia uma ligação direta entre o sofrimento preso durante anos em meu coração e a água que botava para fora.

Pela movimentação às minhas costas, era claro que o grupo de brasileiros já se acomodava, tomando conta da cripta. As vozes ainda tinham um volume impróprio para o lugar. Eu escutava os diálogos animados, mas sem dar importância – escolhiam os encarregados de fazer as leituras da missa e de puxar o coro.

Não prestavam atenção em mim: homens ou mulheres chorando no santuário eram uma visão comum. Não interessavam a ninguém. Mesmo assim, vaidosa, não queria que vissem meu estado. Porém, minhas mãos, ao mesmo tempo que ocultavam, me denunciavam. Gotas pingavam por entre os dedos. Eu não conseguia me dominar. Era como se algo mais forte que eu estivesse determinado a derramar uma bacia com água suja alojada em um compartimento do meu coração.

Momentos antes, na entrada do santuário, em frente à imagem da Nossa Senhora de Lourdes coroada, eu conseguira segurar minhas emoções, mas ali... Eu não pertencia a mim mesma! Outra força estava no comando dos meus sentidos. Espinhos eram retirados com a força da água que saía de mim. Era doloroso, só que também revigorante.

De repente, uma das senhoras do grupo, Carla, anunciou a entrada do padre que celebraria a missa. Pediu que todos ficassem de pé e entoassem determinado cântico a Maria Santíssima. Automaticamente, meus olhos pararam de verter água. Peguei um lenço na bolsa e, enquanto me punha em pé, comecei a secar o rosto.

Não cantei porque não conhecia a música. Aliás, não conhecia nenhuma das músicas católicas que o grupo vinha cantando na viagem. Acho que me lembrava de poucas canções do tempo em que precisava ir a alguma missa com meus pais, quando pequena.

Perdida em pensamentos, acordei da letargia quando o padre anunciou a primeira leitura. Suzana, uma mulher mais nova do que eu que tinha uma bela voz, fora escolhida para lê-la. Encaminhou-se ao ambão e, posicionando o folheto, começou:

– Leitura do Livro de Eclesiastes. "Debaixo do céu há momento para tudo, e tempo certo para cada coisa: Tempo para nascer e tempo para morrer. Tempo para plantar e tempo para arrancar a planta. Tempo para matar e tempo para curar. Tempo para destruir e tempo para construir. Tempo para chorar e tempo para rir. Tempo para gemer e tempo para bailar."

Ela fez uma pequena pausa para ajeitar os óculos. A partir daí, meus ouvidos ficaram surdos. Meus olhos perderam o foco. Um zunido baixinho e fino tomou conta. A palavra repetida tantas vezes em uma só leitura: o tempo. Mais do que uma simples medida, era o tempo de Deus! Aquilo que eu procurava alcançar e entender.

Ouvindo a palavra mágica que acabara de ressoar na cripta, imaginei que era muita coincidência. Pela manhã, ingressara no santuário pensando justamente em quanto tempo teria diante do Senhor do Universo até vencer ou perder para sempre a batalha em que me encontrava.

Coincidência demais ofende a inteligência. Não podia ser. Meu coração, dando um empurrão na minha cabeça, tomou a frente no diálogo interior e firmou a conclusão: Deus tinha algo guardado para mim. Se era bom ou ruim, não sabia, mas toquei com minha oração, nem que tivesse sido de leve, na pontinha da sua orelha! Ele havia notado minha existência.

Pela boca daquela mulher, que não sabia nada do que se passava na minha vida, o Criador acabara de me dar um recado. Se aquilo tivesse ocorrido alguns anos antes, eu teria me levantado e ido embora. Classificaria meu pensamento como pura superstição. Uma bobagem que não podia ser alimentada sequer por uma pessoa de educação mediana, sob pena de vergonha eterna diante dos outros.

Mas não era uma intelectual que estava no sul da França em busca de redenção. Era uma mulher infeliz e condenada pela medicina de ponta. A escolha se fazia muito fácil, então. Corroborei o empurrão que o coração dera na cabeça e mandei que ela ficasse calada, bem quietinha no canto dela. Perguntei ao vencedor: "Então, o que significariam esses tempos tão definidos nas mãos de Deus?"

Através do seu ritmo de taquicardia alternada com bonança, ele iniciou sua fala. O Todo-Poderoso, criador do Céu e da Terra – como os padres diziam nas missas –, tinha tudo tão organizado que possuía um tempo reservado para cada etapa da minha vida.

Do canto da gaveta, onde a tinha aprisionado, a cabeça gritou, quase sufocada pela falta de espaço: "Gabriela, isso significa viver ou morrer? Salvar ou condenar?" Eu não sabia. Pelo menos até ali a experiência um tanto mística estava caminhando muito bem. Para que acelerar em busca de conclusões, quando o caminho ainda não era propício? Melhor seria colocar uma mordaça no cérebro; ele me atrapalhava nos momentos mais cruciais.

Qualquer pessoa podia constatar que meu tempo se esgotava. Ora, então não valia a pena repetir uma obviedade como aquela. Era perda de tempo. A busca não era pelo meu tempo, parco e em tudo conhecido. Importante era entrar em contato com o tempo de Deus.

No momento em que o padre apresentava o ofertório na missa, foi entoado mais um canto pelos meus companheiros peregrinos. Uma certeza ficou evidente dentro de mim: uma barreira se rompera. Apesar de não compreender bem o que Deus me mostrava, não permiti que minha índole cética derrubasse o novo caminho, que enterrasse todas as esperanças – já não eram muitas, tendo em vista todos os prognósticos médicos.

Para muitos, isso poderia soar como uma grande bobagem, um acontecimento sem grandes repercussões, mas para mim representava uma libertação. Lágrimas começaram a pinicar meus olhos, procurando se fazer presentes de novo. Respirei fundo e fechei os olhos com força para que não transbordassem.

Lutava comigo mesma. Coloquei as mãos sobre os olhos, aguçando mais a audição. A voz do padre se fez clara. Sintonizei-me e ouvi que o caminho do homem era um caminho individual. Repeti em silêncio que aquilo era verdade. Veio-me de repente uma fala de meu pai: o homem nasce e morre sozinho. Com tantas pessoas à minha volta, eu estava sozinha no mundo.

– Cada um deve vencer a si mesmo nesta vida! – bradou o padre.

Ele citou o capítulo 9 do Evangelho de São Lucas: "Se alguém quer me seguir, renuncie a si mesmo, tome cada dia a sua cruz, e me siga." Baixei minhas mãos para o colo e abri os olhos.

– Precisamos derrotar nossas mentes, corações e corpos. O comandante do navio, que somos nós, é o espírito. De preferência, iluminado e instruído pelo Espírito Santo de Deus!

Ele abriu um largo sorriso para a assembleia e começou a rezar a oração do Credo.

Cada dia tomar minha cruz, renunciando a mim mesma... Meu espírito berrava que isso também se relacionava com o tempo de Deus. Havia ali algum código místico que trazia uma conexão íntima entre todas essas palavras dos textos bíblicos. Pareciam ser verdades eternas presentes no meio de nós havia séculos, que ainda ordenavam acontecimentos no planeta.

Mas o que era? O que significava para mim especificamente? Melhor: no que podia me ajudar na busca por redenção e felicidade? Talvez eu não devesse me preocupar com o amanhã, mas viver intensamente o meu hoje, buscando a Deus com todo o meu ser, implorando por minha vida e, ao mesmo tempo, tomando com alegria minha cruz. Uma fórmula para sair vitoriosa!

Ou então, para fazer as vezes de advogado do diabo, estava enlouquecendo à medida que as areias do tempo caíam na ampulheta. Faltava pouco para que o alarme soasse, convocando-me a me despedir daquela existência. Melhor seria considerar a outra hipótese. Essa última significava entregar os pontos. Não servia para mim. Sempre fora uma pessoa competitiva; desde criança, nunca me acovardara nas dificuldades. Por isso mesmo estava ali.

Apoiei as mãos no encosto do banco da frente e inclinei meu corpo, pousando o queixo no antebraço. Observei os gestos do padre no altar, bem pertinho de mim. Uma mão suave tocou meu ombro por trás e sussurrou em voz melodiosa: "Calma! Como está na Segunda Carta de São Pedro, para o Senhor um dia é como mil anos, e mil anos são como um dia."

Eu estava cansada, então não me virei imediatamente para ver quem tinha me dito aquilo. Como a frase era muito interessante, ergui o olhar, respirei suavemente e me voltei um pouco, procurando a figura enigmática. Queria entender do que se tratava aquilo.

O que significava um dia equivaler a mil anos, e mil anos a um dia? Qual sua ligação com a minha vida? Então tive um estalo: se eu não tinha verbalizado meus pensamentos, como a tal pessoa poderia saber que a frase de São Pedro se encaixava no que eu estava vivendo? Não havia ninguém no banco de trás! As pessoas estavam sentadas a três bancos de mim. As mulheres prestavam atenção ao que o padre dizia. Nem sequer me olharam quando me virei. Apesar do toque musical suave, a voz que me falara soara masculina.

Sentei-me, constrangida pelo barulho que havia feito. Abaixei a cabeça, colando o queixo no peito. Fechei os olhos novamente. Que lugar era aquele? Quanta coisa louca me acontecera nas poucas horas em que estava ali! Soltei todo o ar dos pulmões, buscando um refresco para o cérebro.

Um dia em mil anos. Se Deus quisesse, poderia resolver todas as minhas dores em um minuto ou em um segundo. Se não... nem em mil anos, já que a medicina não tinha mais remédio para o meu mal. Isso também poderia significar que a minha oração, mesmo aquela executada brevemente, poderia ter o poder de mil anos! Um breve momento de fé poderia conduzir à cura total.

Chegou o momento da comunhão. Todas as pessoas do grupo formaram uma fila, esperando para receber o Corpo e o Sangue de Cristo. Eu também. Era a última. Mesmo com todas as dúvidas e desventuras, me sentia chamada àquele momento sublime.

Não que enxergasse com nitidez a presença de Jesus naquele "pedaço de biscoito". Ainda não havia concentrado esforços em tal investigação. O que me interessava era o poder que aquele ritual aparentava conter. Quando estávamos a caminho do santuário, no trem, ouvira que algumas pessoas tinham sido curadas do câncer com a ingestão diária da Eucaristia. Isso captara minha atenção.

Até a missa daquele dia na cripta de Lourdes, eu havia recebido a comunhão poucas vezes. As mais relevantes foram através das mãos do padre José, em outros domingos que antecederam a viagem, na sua igreja no Rio de Janeiro. Para tanto, havia me confessado com o próprio. Ele ficaria orgulhoso de me ver ali, naquele lugar santo, na fila da comunhão.

Enquanto caminhava até a hóstia consagrada, pedia silenciosamente que Deus me concedesse mais algumas experiências místicas na cripta, além de algo que envolvesse a minha cura corporal, mental, sentimental e, por que não dizer, espiritual. Um reatar de amor entre o Criador e a criatura. Queria voltar à praia de Copacabana para ter acesso ao anjo azul... São Gabriel Arcanjo!

CAPÍTULO VIII

Paróquia

Quando o grupo brasileiro deixou a cripta, fui a última a sair. Fiquei um tempo de joelhos em um genuflexório à esquerda do belo altar. Um pequeno sorriso se formou em meus lábios ao pensar que o padre croata, com toda a distância entre nossas línguas, lembrava-me o padre José, pela gentileza e pelo olhar amoroso. Havia, ainda, a juventude a aproximá-los.

Sem dúvida o encontro com esses dois homens religiosos produzira em mim uma impressão diferente da que eu tinha do clero católico. Na época do colégio, as freiras que tomavam conta das meninas eram um tanto rigorosas e frias. Poucas eram as que nos tratavam com amor. Pareciam, às vezes, não aguentar mais aturar as artes das pequenas que lhes eram confiadas pelas famílias.

Depois, na faculdade católica, os padres encarregados das matérias de cristianismo – todas obrigatórias nas grades curriculares dos diversos cursos –, estavam mais interessados nos debates políticos sobre divisão de riquezas e terras (pois seguiam uma corrente de pensamento denominada Teologia da Libertação), do que na espiritualidade, qualquer que fosse. Aquilo fazia deles políticos frustrados, disfarçados de sacerdotes, e me afastava ainda mais das questões da fé.

No final de sua vida, minha mãe tentara me transformar em uma católica praticante, mas não tivera o resultado esperado. Eu pensava que, após uma vida desconsiderando a fé, sua retomada era parte do desespero diante da morte que turvava o raciocínio. Afinal de contas, durante anos a fio, ela nunca quisera se envolver seriamente com a metafísica, mesmo diante dos convites insistentes que tia Irene lhe fazia.

Ocorreu que, durante a internação de mamãe, as coisas se desenharam de um modo diferente. Ela nunca vira um homem se doar pelos doentes de bom grado, a qualquer hora do dia ou da noite, como o padre José. Era impressionante a forma como ele cuidava de minha mãe e dos outros. Era absolutamente cativante. Ele conseguira desenvolver uma intimidade com ela que eu não havia conseguido em toda a minha vida.

De repente, eu pensava existir luz no fim do túnel que percorria a Igreja Católica. Existiam homens dentro da instituição que não estavam preocupados com assuntos políticos, sexo, dinheiro e poder. Simplesmente viviam a vocação de servir a sociedade, baseando-se no amor ao próximo. Algo puro.

Ao contemplar a Basílica do Rosário, pensei que, se algo tão altruísta existia no Brasil e na Croácia, poderia também acontecer em qualquer outro lugar do planeta. Não em grande quantidade, mas a luz irradiada por tais homens devia trazer paz e esperança a muitos.

Quando deixamos a cripta, as nuvens cinzentas que pairavam sobre o santuário não refletiam a alegria das pessoas. O grupo se reuniu em frente ao portão da imagem de São José. Nosso guia estava lá, aguardando a presença de todos que estavam na missa para passar as instruções do resto do dia. O almoço estava sendo preparado. Tínhamos um pequeno intervalo e as lembranças voltavam à minha mente...

– Que bom que você veio, Gabriela!

De calça preta, blusa branca e crucifixo, o padre se levantou da cadeira e me abraçou.

– Achei que era mais do que obrigatória uma visita, José. Você foi muito carinhoso com a minha mãe. Acho que ela ficava mais feliz em ver você do que em me ver, lá no hospital.

Beijei as bochechas do padre. Olhando ao redor, vi uma mesa rústica de madeira, com uma Bíblia de capa dura no canto esquerdo perto de uma caneca do Fluminense. Papéis preenchiam o restante do espaço, quase não dando abertura para um relógio digital preto no lado direito. Enfim, o homem era totalmente desorganizado!

Sobre um armário, um pequeno ventilador de parede soprava em todas as direções, buscando levar um pouco de frescor à sala abafada e quente, pois só tinha uma janela pequena que dava para a área interna da construção. Havia uma cadeira vazia à frente de onde o padre estava e outra encostada na parede do lado oposto ao armário, ambas de madeira bem gasta.

– Fique tranquila porque não sou do tipo que quer impor a fé católica aos outros. Não gosto disso. Acho que os atos são muito mais importantes do que as palavras. Se me porto bem e sirvo de exemplo, sei que as pessoas vão seguir meus passos. Palavras se perdem no vento – explicou, puxando a velha cadeira em frente à sua mesa, convidando-me a sentar.

– Não tenho a menor dúvida disso. Temos estado em contato todas as semanas e você nunca me obrigou a comparecer à sua missa nem me deu sermão nenhum – falei com sinceridade.

O padre sempre fora uma companhia agradável, conversava sobre os mais diversos assuntos. Ele deu a volta na mesa e sentou-se, me encarando, apoiando os braços na mesa.

– Cheguei a falar de um assunto no mês passado, mas você nunca me deu uma resposta. Deixei passar um pouco o tempo, esperando você se recuperar da morte de Cristina. Mesmo assim, vejo que se esqueceu do pedido.

Ele estava me cobrando com toda a delicadeza. Eu não disse nada.

– Gabriela, preciso realmente de ajuda. Tenho um problema nesta casa. Sou o pároco e moro com outros três sacerdotes. Bem, acho que não chega a ser um assunto diretamente religioso, mas há implicações religiosas no que gostaria de conversar.

Seu sorriso não desapareceu, nem mesmo depois da minha falta de educação.

– Então torço para que não seja nada ligado aos seus dogmas nem à sua fé. Não entendo nada do mundo metafísico – falei em tom brincalhão. – Meu campo de ação é o psiquismo das pessoas.

– Um dos meus companheiros de evangelização, que mora aqui na casa paroquial, tem manifestado alguns fenômenos estranhos. Talvez ele tenha um distúrbio derivado de algum tipo de trauma psicológico. – José tomou um gole de água da caneca do seu clube de coração. – Não gostaria de perdê-lo, porque é um excelente padre. Muito trabalhador, me ajuda demais nas tarefas da paróquia. Temos muito movimento por aqui. Além disso, é adorado pelas pessoas que frequentam a igreja.

Ele cruzou os braços, esperando uma reação minha.

Recordava-me inteiramente daquela noite junto ao leito de Cristina no hospital. Ele dissera que eu parecia ser uma boa pessoa e que gostaria que eu aceitasse um sacerdote como paciente em meu consultório. Eu não lhe dera resposta porque, na verdade, tinha a intenção de recusar o homem.

– É uma situação bem complicada, Gabriela. Você presenciou, lá no hospital, uma das atividades sacerdotais. Nós visitamos pessoas enfermas. Sabe, é óbvio que também celebramos a missa todos os dias, mas ser sacerdote não se trata apenas dessas coisas. Elas são extremamente importantes, mas há outras igualmente importantes que precisamos fazer.

Seu tom era bastante misterioso. Algo na questão o deixava bastante desconfortável.

– Ser padre implica também gozar de boa cabeça para poder ministrar o sacramento da penitência, que é essencial para os católicos. Envolve o aconselhamento. O que se passa em um confessionário pode, às vezes, mudar a vida de uma pessoa. O padre não ouve apenas os pecados: espera-se que ele dê bons conselhos para que a pessoa consiga mudar de vida ou coisa parecida.

– Quer que eu avalie o padre para saber se ele está no seu juízo normal, se tem capacidade para continuar atendendo as pessoas que frequentam a paróquia. É isso?

Eu tentava buscar um meio-termo: seria uma espécie de perita, dando um laudo sobre o homem. Assim, José poderia buscar alguma ajuda se fosse o caso, com outra pessoa.

– Quero que ele seja feliz, acima de tudo. Que continue fazendo o ótimo trabalho que faz aqui. Sem nenhuma suspeita de que é desequilibrado ou tem problemas alucinatórios. Não quero que enviados da diocese do Rio de Janeiro venham aqui com ares investigativos por causa dos fenômenos de que as pessoas falam. Não quero que ele seja alvo de nada disso. É um homem de coração puro e não merece.

– Bom, você sabe da minha gratidão pelo que fez à minha mãe, pelo carinho com que sempre me acolheu...

Suspirei, já cansada daquele debate. Ele não iria aceitar minha sugestão, tinha uma ideia pronta.

– Tudo o que fiz por vocês foi de graça. Não há contraprestação para nada. Nunca pense nisso!

Ele se levantou devagar e abriu o pequeno armário em busca das vestes sacerdotais para a missa.

– Gabriela, queria que ele se tornasse seu paciente. Já lhe fiz o pedido antes, não quero ouvir um não. – Devia ter feito alguma cara de desgosto, mas ele não se abalou: – Na verdade, precisamos dos seus talentos aqui. A situação não está fácil, senão não estaria pedindo algo assim com tanta insistência.

Eu não podia negar nada para ele, porém não me sentia confortável.

– Um padre fazendo análise comigo? Isso não causaria danos à carreira sacerdotal dele?

Pessoalmente, não via nenhum problema naquilo, mas não queria prejudicar o homem diante do clero. Além disso, não sabia o que significavam tais eventos paranormais referidos por José. Tinha um pouco de receio de não saber lidar com o desconhecido.

– Não há problema nenhum. Ninguém nos proíbe de fazer um tratamento psicológico. Não faria mesmo sentido uma proibição assim. O grande problema é o preconceito. A pessoa fica tachada de maluca. Não desejo uma marca assim para um sujeito que me é tão valioso.

– Então é algo sigiloso? Ninguém sabe dos seus planos? Você não tem um superior hierárquico a quem se reportar, com quem possa discutir o assunto antes? – tentei demovê-lo da ideia outra vez.

– Gabriela, a política da Igreja Católica não é simples. Claro que tenho um bispo responsável aqui pela minha paróquia. O problema é que, como não estou em um lugar badalado por pessoas da alta sociedade, ele não vem aqui me ver com frequência. Enfim, não se interessa por esta igreja. Fico sozinho a maior parte do ano sem que ninguém da cúria tenha qualquer notícia minha ou dos meus padres...

Ele sorriu com desgosto.

– Ora, então ninguém vai se incomodar se há ou não há um padre alucinando aqui! – falei em tom de brincadeira, mas ele não esboçou nenhuma reação e continuou com ar sério.

Sentando-se na cadeira em frente ao armário, colocou as vestes brancas em cima da mesa.

– Desculpe-me a brincadeira. Eu entendi bem: você quer que o padre faça análise, mas sem que ninguém tenha conhecimento disso.

– Exatamente, Gabriela. Os fenômenos de que falei estão ficando muito famosos na região. Vem gente de outros bairros, até mesmo de outras cidades para participar das missas e do grupo de oração conduzido pelo padre Antônio.

– Claro... Se ele começa a atrair a atenção de gente que não é daqui ou que não tinha o hábito de frequentar sua igreja, é necessário tomar alguns cuidados.

Coloquei a mão no queixo, calculando o tamanho do problema.

– Por isso pensei em você. Nesse tempo em que nos conhecemos, tenho observado como você é reservada. Intuitivamente, acho que é uma excelente profissional. E mais: não faz parte dos círculos da Igreja Católica. É uma opinião altamente imparcial. – Ele ajeitou os cabelos revoltos para trás. – Acho que Deus a colocou no meu caminho. Não foi por acaso que encontrei você e sua mãe. Hoje percebo que tenho em você uma profissional que pode me auxiliar nesse caso antes que a coisa fique grande demais para ser domada.

José coçou os olhos com as costas das mãos, franzindo bastante a testa e retorcendo os lábios.

– Aceite, por favor. Já disse que não é contraprestação. Nunca faria isso. Acho que nenhum sacerdote faria uma cobrança desse jeito. Foi por amor. Aceite, porque não existem coincidências no mundo.

Ele me olhava fixamente.

– Bem, tenho que olhar na minha agenda os horários do consultório e ver como farei para encaixá-lo – respondi, tentando ganhar um pouco mais de tempo.

– Gabriela, temos uma verba aqui para pagar seus serviços. Ninguém quer que você faça caridade. Ele vai comparecer como qualquer pessoa. Não se trata de um padre a ser analisado, mas de Antônio, um homem bom, de 45 anos, que ajuda muito um povo sofrido – apelou para meu lado emotivo.

– Entendo, mas você não pode decidir isso por ele, José. Você compreende isso?

Eu o encarei, séria. Ele manteve firme o olhar em mim e sorriu.

– Gabriela, isso já está resolvido aqui nesta casa paroquial. Ele se dispôs a fazer a terapia. De bom grado. Conversamos muito. Ele tinha certa rejeição, mas, semana passada, me disse que Deus deseja que ele siga por esse caminho.

José se pôs de pé e colocou a batina sobre a roupa. A missa iria começar em dez minutos.

– Mas ele quer de verdade fazer a terapia? Falou que queria fazer análise? Sabe o que é, pelo menos? – disparei várias perguntas, elevando um pouco a voz e me levantando da cadeira.

– Uma coisa é de quem veio a ideia. Não partiu dele, *eu* disse para ele que era bom pesquisar o que se passava na cabeça dele – respondeu, colocando a estola em volta do pescoço.

– Penso que tenha sido algo imposto a ele por você, José – insisti, tentando ver o que estava de fato acontecendo ali.

– Garanto que não. Apenas partiu de mim a ideia. Ela foi debatida longamente entre nós. Até o dia em que ele veio com essa história de que Deus disse ser melhor seguir por esse caminho. A partir daí, ele firmou comigo o compromisso. Apenas falou que não iria buscar ninguém. Estava muito ocupado aqui e confiava em mim para esse fim.

Mais uma vez, José passou as mãos pelos cabelos encaracolados e compridos, buscando organizá-los.

– Além do mais, percebi que ele estava deprimido nos últimos meses. Vi que sofria. Nós e os outros padres que moram aqui fizemos uns exames médicos de rotina e nada foi apontado. Por isso, andei conversando com ele a respeito de seu estado melancólico. Depois de tanta conversa, um dia, me falou que era falta de humildade não aceitar a ajuda que eu oferecia.

Seu sorriso agora era um tanto triste.

– Mas você disse para ele que a análise seria feita com uma mulher?

Precisava perguntar isso; não sabia o grau de preconceito que um padre poderia ter com o assunto.

– Disse que era uma pessoa não ligada à Igreja Católica. Ele falou que não queria nenhum paroquiano envolvido nem alguém que tivesse acesso à cúria. Contei que era com uma amiga, alguém de confiança. Ele perguntou se você acreditava em Deus. Respondi que não sabia. Ele sorriu e disse que não tinha problema.

Mais uma vez o padre me fulminou com o olhar.

– José, claro que acredito em Deus! Sempre acreditei. Meu problema é que desconfio das intenções dele. Não compreendo o que Ele deseja das pessoas neste mundo. Por que tanta desgraça, doenças e sofrimentos?

– Olha, eu não sabia bem o que responder ao Antônio. Procurei ser neutro. Lembre que você nunca me manifestou uma posição definitiva sobre o assunto. Eu desconfiava que você acreditava em Deus, só não tinha certeza. Até porque a via tão amargurada com a situação da sua mãe...

– Tudo bem. Quando vamos começar, então? – eu o interrompi, pois estava na hora de José entrar no altar.

Não era o momento de um debate desse tipo. Queria conversar com ele sobre isso, mas com muita calma.

– Você é que me diz. Ele não está aqui hoje. Morreu o pai de uma senhora que mora a dois quarteirões e ele está fazendo o enterro. Ficará por lá com a família, para o almoço. Vou só avisá-lo do dia agendado para ir ao seu consultório.

Seu semblante era de alívio e vitória. Ele sabia conquistar passo a passo o que buscava. Convencera o padre e a analista. Eu tinha que reconhecer sua competência retórica.

– Qual é o dia em que vocês estão menos atarefados por aqui?

Não queria atrapalhar o andamento da paróquia, ainda mais porque eram apenas quatro padres para cuidar de uma multidão.

– Segunda-feira é a nossa folga. Poderíamos marcar na parte da tarde, depois do almoço. Assim, teria um tempo para dizer umas palavras amigas, incentivá-lo na nova empreitada.

Ele estalou os nós dos dedos, ainda com o sorriso triunfante.

– Tenho um horário no fim da tarde. Vou deixá-lo como o último do dia. Assim não haverá ninguém na sala de espera a inibi-lo. Ele terá mais privacidade. Dezoito horas, então?

– Ótimo, vou falar com ele hoje no jantar. Na semana que vem você vai conhecer seu novo paciente!

José me beijou no rosto às pressas e se dirigiu à porta. Mas para mim a conversa ainda não havia terminado.

– Espere um instante, não vim aqui só para atender seu pedido.

Continuei sentada. Ele se surpreendeu e deu meia-volta, olhando de soslaio para o relógio de pulso, nervoso.

– Que falha a minha! Não costumo ser tão mal-educado, viu, Gabriela? O que posso fazer por você? – perguntou, ainda sem jeito com a minha observação, enquanto o coroinha avisava que iria tocar o sino da igreja para começar a cerimônia.

– Como você tinha me convidado algumas vezes para vir aqui conversarmos, decidi aceitar o convite. Mas, pensando melhor, quero me confessar, posso? Não me mande para nenhum outro padre nem recuse meu pedido. Não vou a lugar nenhum em busca de um confessor e não confio em mais ninguém. Se o seu Senhor e Mestre quer que eu me confesse, é hoje ou nunca!

Eu o pressionei porque não estava para brincadeira. Se aquela história de confissão trazia algum benefício, queria descobrir naquele momento.

– Será uma honra para mim. Uma alegria, para falar a verdade. Quer fazer sua confissão aqui mesmo na sala ou quer ir ao confessionário, lá dentro da igreja? – perguntou todo feliz.

– Ué, posso fazer a confissão aqui, numa sala? Não precisa ser lá, de joelhos, no confessionário?

Não sabia que a tão formal Igreja Católica permitiria ao padre algo tão simplório em se tratando de sacramento.

– Ora, não se preocupe com a validade do sacramento. Isso é por minha conta. Claro que pode ser aqui mesmo, na sala. Nada nos impede. Percebo que você fica mais à vontade aqui. Só que preciso celebrar essa missa antes. Aliás, está convidada a participar dela!

Ele se empertigou, aguardando minha decisão.

– Aqui é mais isolado. Não me sinto bem lá no confessionário, de joelhos. Prefiro ficar sentada. Aqui parece que estamos tendo apenas uma conversa franca. Acho melhor mesmo. Vamos, padre, vou me sentar na primeira fila para participar da sua missa.

Então, ele se dirigiu ao altar.

CAPÍTULO IX

Fenômenos

Padre José começou a ler um trecho do Evangelho de São Lucas:
– "E eis que, nesse mesmo dia, dois dentre eles se dirigiam para uma aldeia chamada Emaús, a duas horas de viagem de Jerusalém. Eles falavam entre si de todos esses acontecimentos. Ora, enquanto falavam e discutiam um com o outro, o próprio Jesus os alcançou e caminhava com eles; mas os seus olhos estavam impedidos de o reconhecer."

José ajeitou a enorme Bíblia que havia deslizado do apoio, quase indo parar no chão. Interessante o fato de os discípulos de Jesus caminharem em direção à tal aldeia de Emaús na companhia do próprio Mestre sem conseguir reconhecê-lo! Que coisa mais louca! Não fazia sentido...

O padre prosseguiu com a leitura:
– "Ele lhes disse: 'Quais são essas palavras que estais trocando ao caminhar?' Então eles pararam, com ar sombrio. Um deles, chamado Cleófas, lhe respondeu: 'Tu és decerto o único homem de passagem por Jerusalém que não tenha sabido o que se passou nestes dias!' 'Que foi?', disse ele. Eles lhe responderam: 'O que aconteceu a Jesus de Nazaré, que foi um profeta poderoso em atos e palavras, diante de

Deus e diante de todo o povo. Os nossos sumos sacerdotes e os nossos chefes o entregaram para ser condenado à morte e o crucificaram; quanto a nós, nós esperávamos que ele seria o que devia libertar Israel. Mas, com tudo isso, já é o terceiro dia que esses fatos se deram.'"

Naquela hora entendi o que se passava: Jesus havia sido crucificado em Jerusalém e, com sua morte, os discípulos partiram de lá para Emaús. Tinham ouvido falar que o corpo do Mestre não fora encontrado no túmulo. Não acreditaram na história da ressurreição. Por isso, quando o próprio Jesus se apresentou, eles não o identificaram.

Continuei concentrada na leitura de José:

– "'Entretanto, algumas mulheres, que são dos nossos, nos assustaram; tendo ido de madrugada ao túmulo e não tendo encontrado o seu corpo, elas vieram dizer que tinham tido mesmo a visão de anjos que declararam estar ele vivo. Alguns de nossos companheiros foram ao túmulo e o que acharam era conforme o que as mulheres haviam dito; quanto a ele, porém, não o viram.' Ele então lhes disse: 'Espíritos sem inteligência, corações tardos para crer tudo o que os profetas declararam! Não era preciso que o Cristo sofresse isso para entrar na sua glória?' E começando por Moisés e todos os profetas, ele lhes explicou em todas as Escrituras o que lhe concernia."

Fiquei impressionada: Jesus se aborreceu com a falta de inteligência dos discípulos! Lembrava minha mãe. Ela não suportava gente burra. Dizia que não tinha nenhuma paciência para aguentar a lentidão de algumas pessoas. Engraçado é que o Mestre não ficou só nisso: disse que eles tinham corações tardos para crer. O problema não era apenas a falta de inteligência, afinal fora o próprio Deus que havia dotado as pessoas com as suas respectivas inteligências.

Percebi que o que realmente deixara o Senhor chateado fora a falta de fé. Depois de tudo o que Ele tinha ensinado e vivido com aqueles homens, não acreditavam! Ora, eu tinha enorme dificuldade em acreditar em todas aquelas coisas que estavam na Bíblia, mas tinha a desculpa de nunca ter visto nada comparado ao que aqueles homens supostamente tinham visto.

Veio-me, então, à mente a figura cintilante do anjo da praia de Copacabana. Depois, a da sereia na baía de Guanabara. Meu Deus, eu não estava sendo justa! Queria dar uma desculpa para minha falta de fé, mas dizer que não tivera experiências místicas não era verdade. Como aquilo fora parar na minha cabeça bem no momento do Evangelho?

Meus ouvidos voltaram a captar as palavras do padre:

– "Eles se aproximaram da aldeia para onde se dirigiam, e ele fingiu que ia prosseguir. Os dois insistiram com ele, dizendo: 'Fica conosco, pois a tarde está caindo e o dia já começa a declinar.' E ele entrou para ficar com eles. Ora, quando se pôs à mesa com eles, tomou o pão, pronunciou a bênção, partiu-o e lhes deu. Então, seus olhos se abriram e eles o reconheceram; depois, ele se lhes tornou invisível. E disseram um ao outro: 'Não ardia em nós o coração quando ele nos falava no caminho e nos explicava as Escrituras?'" Palavra da Salvação.

José levantou o livro, beijou-o, devolveu-o ao seu local e, pegando um microfone sem fio, começou a descer os poucos degraus que separavam o presbitério dos bancos. Notei que ele estava bastante alegre. Seus olhos tinham um brilho diferente. Ele deu bom-dia às pessoas e disse que queria fazer umas poucas perguntas ao povo durante a homilia.

– Dona Catarina, tudo bem? Acordou cedo hoje? Cadê seus netos? Excursão do colégio, é? Ainda bem! Dá um sossego para a senhora. Cada um mais levado do que o outro!

A assembleia toda ria. Parecia que todo mundo se conhecia ali.

– Será que a senhora pode responder a uma perguntinha? Por que os discípulos não conseguiram identificar Jesus?

Ele estendeu o microfone para a velha senhora.

– Ah, padre, não é uma pergunta fácil. A gente fica pensando que são homens "desligados", mas a verdade é que aqui na igreja isso também já aconteceu comigo e com outras pessoas. Depois disso, passamos a acreditar que, se Deus quiser, pode disfarçar as pessoas.

José cruzou os braços, sério. As duas mulheres ao lado de dona Catarina confirmaram tudo com um aceno de cabeça.

– Como? Aqui nesta igreja já houve caso de uma pessoa conhecida não ser identificada por vocês?

Ele sorria meio sem graça. Ou duvidava ou não compreendia o que havia se passado.

– É, padre, pode perguntar para o pessoal aí.

Olhei ao redor e vi que as mulheres todas assentiam, confirmando a história de Catarina.

– Dona Catarina, me conte aí: como foi que isso aconteceu? Quem é o sujeito que se disfarçou e enganou vocês? – Ele usava um tom gaiato, mas seu olhar era de pura curiosidade.

– Não era disfarce, não! Foi o padre Antônio. Ele marcou conosco para rezar aqui na igreja, ontem, sexta-feira de tarde, o ofício de Nossa Senhora. Na hora marcada, todas nós estávamos aqui. Nada de o padre aparecer. Um sujeito que nunca tínhamos visto estava arrumando flores no altar. Depois, ele colocou em um lugar de destaque aquela imagem de Nossa Senhora Aparecida, que fica ali na lateral da igreja. Então, ficamos pensando: como esse homem tem coragem de mexer nas imagens? Pior, mudando-as de lugar! Padre José vai ficar uma fera! Ninguém sabia quem era... Pensei até em ir lá e dar uma bronca nele, mas, nesse instante, ele pegou o microfone e deu boa-tarde para todos. Reconhecemos imediatamente a voz. Nossos olhos, então, puderam ver que o homem era o próprio padre Antônio!

A igreja quase veio abaixo com tantas vozes ao mesmo tempo. Eu observava o tumulto e olhava para José. Queria ver como ele reagia àquilo tudo. Obviamente não esperava por nada parecido. Fora pego de surpresa. Não tinha sido informado por ninguém sobre aquele acontecimento, mesmo porque havia ocorrido no dia anterior.

– Calma, gente! Deixem-me falar um pouco, calma aí!

José gesticulava e pedia silêncio, caminhando pelo corredor do meio. Algumas senhoras mais velhas tentavam segurar na batina dele para lhe falar a respeito. Ele não parava. Andava de um lado para outro. Até que, enfim, o silêncio se fez.

– Quer dizer, então, que o padre Antônio ficou irreconhecível aos olhos de vocês? Só falta me dizerem que ele também fica invisível, igual a Jesus no final da leitura do Evangelho... – disse, com um sorriso debochado.

Imediatamente a multidão se alvoroçou de novo. As palavras eram desencontradas e o volume, muito alto.

– Ah, aí é demais, né?

Agora o sorriso dele era preocupado. Com tantas mulheres falando ao mesmo tempo, era difícil de entender o que cada uma dizia. Mas uma coisa era bem certa: todas confirmavam a tal história do padre que ficava invisível. Eu estava deliciada com aquela missa!

– Gente, gente! Vamos deixar de lado o caso do padre invisível. Olha, o que eu queria falar sobre o Evangelho de hoje é algo que acontece com várias pessoas. Nós não nos tocamos dos sinais de Deus em nossa vida.

Ele encerrou o debate e, ajeitando as vestes sacerdotais, começou a caminhar ao altar para fazer sua explanação.

– Vocês perceberam que Jesus caminhava com os discípulos por um bom tempo, rumo a Emaús. Ninguém o reconheceu. Cada pessoa tem um jeito de gesticular, andar e falar. Nós nos acostumamos com as pessoas do nosso convívio cotidiano. Mas, apesar de tudo, eles não o reconheceram. Estavam cegos.

Respirou fundo, talvez em busca de inspiração depois de tanta confusão.

– Tive um problema aqui na nossa comunidade que vinha se arrastando por alguns meses. Eu rezava e pedia a Deus que me mostrasse uma solução. Dia após dia, nada parecia acontecer. Eu ficava triste porque não via saída e, mais ainda, porque pensava que Deus não queria me ouvir.

Ele desceu de novo os degraus e parou em um banco do lado oposto ao que eu estava.

– Quantas vezes nós pensamos exatamente assim: Deus não quer me ouvir! Não é verdade, dona Chica?

A senhora gorda e sorridente concordou sem titubear.

– Pois era exatamente assim que eu me sentia. Mas eu estava cego! O Senhor caminhava passo a passo comigo no meu problema e eu não o enxergava. Ele tinha seu jeito de me mostrar a solução, mas eu não entendia!

Ele deu meia-volta e passou a caminhar em minha direção.

– Jesus falava comigo, sim. Todos os dias. Eu não escutava sua voz. Hoje vejo que o Evangelho do dia é para mim. Muito mais do que para vocês. Vejo que sou um espírito sem inteligência, como afirmou o Mestre. E o pior: apesar de ser padre, tenho coração que tarda para crer. Exatamente o que mais irritou Jesus na passagem de Emaús!

Ele parou em frente ao meu banco.

– Numa missão que fui cumprir em um hospital, desde os primeiros dias se apresentou a solução do meu problema. Tão concentrado em fazer o que queria, eu não via nada. Depois, mais sinais. No meu dia a dia, Deus exibiu vários sinais, apontando uma pessoa como ajuda para mim. Por incrível que pareça, meses depois, consegui compreender do que precisava. Pedi, então, a Deus que me desse outro sinal. Que essa pessoa viesse até a minha igreja para que eu não tivesse nenhuma dúvida. E olha que a pessoa não era católica praticante!

As vozes alegres se elevaram de novo. O povo praticamente dialogava com José enquanto ele fazia a homilia.

A impressão que eu tinha era a de uma reunião de amigos. Quem sabe essa era a fórmula original que Jesus tinha em mente quando quis que as pessoas se reunissem para rezar? De certo modo a falta de formalidades e de distanciamento da assembleia com o celebrante me agradava profundamente. Eu não frequentava a igreja, mas estava bastante à vontade agora.

Havia liberdade e felicidade no ar. Ao contrário do que eu me lembrava dos tempos de infância e adolescência, as pessoas estavam ali por prazer, não por obrigação. Percebi como aquela reunião era saudável para a cabeça delas. Não sei se espiritualmente aquilo servia para alguma coisa (essa não era a minha área de proficiência), mas funcionava muito bem como uma catarse para os dias estressantes que viviam.

– Pois hoje, agora mesmo, antes de eu pisar no altar, Deus me deu a certeza de que meu problema está bem encaminhado e será solucionado. – Ele me olhava, feliz. – Fica uma meditação para cada um de vocês. Será que seus problemas foram encaminhados a Deus? Vocês entregaram nas mãos de Jesus ou de Maria suas dúvidas e dificuldades? Continuam retendo no coração todas as questões de difícil solução? Querem resolver tudo com a própria cabeça ou esperam também pela Providência Divina? Se entregaram tudo no colo do Todo-Poderoso, perceberam os sinais que Ele enviou de resposta? Conseguem perceber? Tenham uma certeza: Ele sempre responde. Não podemos mais ser espíritos sem inteligência com coração tardo para crer!

Ele encerrou a homilia.

Ao final da missa, procurei-o em sua sala. Ele estava cercado de pessoas, mas fez um sinal, pedindo que eu o esperasse. Fiquei lá uns quarenta minutos. Depois, um tanto cansado, ele me convidou para o sacramento do perdão – assim se referia à confissão. Ficamos frente a frente, a uma curta distância. Ele fechou os olhos e pediu que eu fosse falando tudo o que estava no meu coração. Todos os meus atos nos últimos anos. Minhas dúvidas, angústias e brigas.

Para cada conjunto de fatos, ele me interrompia e tecia comentários. Em momento nenhum me senti julgada ou envergonhada. Ele fazia tudo com muito jeito. Tinha palavras de carinho e confiança. Parecia que era o meu psicólogo naquele momento – aliás, demonstrava um grande talento para a profissão. Não à toa aquela quantidade de pessoas o adorava.

No fim ele impôs a mão sobre minha cabeça e proferiu uma oração de perdão, dando-me a bênção. Meu coração se esquentou e senti uma alegria que não sabia bem de onde vinha. Senti uma presença acima do ombro direito. Algo que chegava até o teto da sala. Meus braços pareciam úmidos e minhas costas formigavam. Não olhei para trás com medo de José pensar que eu via coisas que não existiam.

Combinamos que eu voltaria para novas confissões e para participar da missa. Resolvi passar por dentro da igreja antes de ir embora. Ajoelhei-me em um dos genuflexórios para pagar a penitência que me havia sido dada. Quando terminei e comecei a descer os degraus da igreja rumo ao meu carro, senti uma dor considerável na parte de cima da cabeça. Doía tanto que meus olhos ficaram doloridos também. Cheguei em casa tonta e fui me deitar.

A segunda-feira de trabalho começou morna. Contudo, à medida que o relógio se aproximava das dezoito horas, fui ficando animada. Tentava controlar a ansiedade. Lembrava-me o tempo todo da história do padre invisível. Ele ia entrar pela porta do consultório a qualquer momento!

Como era possível que tantas pessoas alegassem ter testemunhado um evento tão sobrenatural como aquele? Minha mente cartesiana não admitia essa hipótese. O corpo humano não poderia assumir outra forma nem desaparecer no espaço físico instantaneamente. Isso era coisa de filmes hollywoodianos.

Dezoito horas em ponto, abri a porta do consultório que dava para a sala de espera. Lá estava sentado um homem moreno, de cabelos e olhos escuros, vestido com uma camisa polo branca e calça jeans preta. Era um pouco mais alto do que eu e exibia um ar de tranquilidade e alegria.

– Antônio? – perguntei, olhando-o nos olhos. – Pode entrar, por favor.

Segurei a porta para que ele passasse. Fechei-a atrás de mim. Ofereci a poltrona cinza para que ele se sentasse e me acomodei na minha poltrona de couro preta, como de costume.

– José me falou a seu respeito e fiquei muito feliz por você ter decidido vir aqui hoje – comentei, sorridente.

– Além de um grande sacerdote, ele é um amigo especial. Meu anjo da guarda, logo no dia em que nos conhecemos, me disse que ele era um homem muito amado por Deus, que iria transformar os corações por onde passasse.

Ele deu uma risadinha, ajeitando a gola da camisa. Notei a referência ao anjo da guarda; não sabia se falava a sério.

– Tem um grande coração, sim. Aliás, percebi que conquistou todas aquelas pessoas lá da paróquia de vocês. Mas, pelo que pude observar da missa de sábado, você não é muito diferente dele. O pessoal gosta muito do que você faz.

– Do que eu faço?

Percebi que não era de muitas palavras. Não estava solto naquela situação. Eu obviamente o incomodava. Precisava quebrar aquela barreira para alcançar uma conversa verdadeira sobre seus problemas.

O primeiro dia foi bastante difícil. Apenas fiquei sabendo que ele havia nascido em uma família de classe média, na Tijuca. Cursara o ensino médio em uma instituição religiosa e lá, ainda adolescente, descobrira sua vocação sacerdotal. Apaixonara-se perdidamente pela história de São Francisco de Assis.

Foi admitido num seminário franciscano em Santa Catarina. Depois, mandaram-no a outro local franciscano para continuar os estudos, em Guaratinguetá, São Paulo. Nessa cidade, nascera o único brasileiro canonizado pela Igreja Católica: frei Galvão, também franciscano. Percebi sua enorme admiração pelo santo.

Foi ordenado no Rio de Janeiro, no Convento Santo Antônio, no largo da Carioca. Nessa igreja, celebrou sua primeira missa. Depois de onze meses exercendo suas atividades sacerdotais no Centro, foi chamado por um bispo, também egresso de sua ordem.

Ele explicou a Antônio que o estava indicando para estudar em Portugal. Lá, então, graduou-se mestre em Teologia. Logo após a titulação, pediu ao superior que o enviasse a Assis, na Itália, para ficar uma temporada na Igreja de Santa Maria dos Anjos de Porciúncula.

Tinha verdadeira fixação pelo local. Explicou-me que, no interior daquela enorme basílica, encontrava-se a pequenina igreja que São Francisco havia reformado com as próprias mãos. Uma história muito interessante. O santo costumava frequentar o lugar para rezar em solidão. Só havia mato e animais. A construção estava abandonada. Um dia, olhando o belo Crucifixo de São Damião que a enfeitava, ouviu uma voz: "Vai e reconstrói minha Igreja." Deus queria que ele pegasse no pesado, como peão de obra, e reformasse o lugar! Assim o fez. O resultado estava lá até os dias de hoje.

Porém, sua estada na tão amada Porciúncula durou muito pouco. Os superiores franciscanos, de Assis, perceberam seu talento para as homilias e a forma como se relacionava bem com os outros padres e fiéis. Indicaram-no para fazer o doutorado na Universidade Gregoriana, em Roma.

Antônio contou que deixou Assis com o coração partido. Gostaria de viver na Porciúncula por muitos anos, mas não poderia recusar o convite. A Ordem Franciscana o tinha em alta conta e ele não podia decepcioná-los. Concluiu os estudos em Roma com o grau máximo. Teve sua tese de doutorado publicada na Itália e ganhou uma menção honrosa numa edição de *L'Osservatore Romano*, o jornal do Vaticano.

Quando retornou ao Brasil, o bispo o chamou novamente. Muito agradecido, ele compareceu todo sorridente. Pensava em servir no Convento da Luz, construído pelas mãos de seu querido santo brasileiro, frei Galvão, na capital de São Paulo. Era compreensível que quisesse trabalhar em locais sagrados, especialmente os frequentados pelos santos de sua ordem.

Para sua surpresa, o bispo lhe disse que precisava atender a um pedido. Outro bispo, a quem ele se referia como "irmão de coração", precisava de um padre competente para auxiliar um jovem sacerdote na região da zona oeste da cidade do Rio de Janeiro. A paróquia não era muito frequentada, além de bastante pobre.

A pobreza não constituía nenhum problema para Antônio, já que era franciscano. Tinha, inclusive, feito voto de pobreza ao ser ordenado. Entretanto, estava um tanto desacostumado com a questão. Vivera em locais abastados durante os últimos anos fora do Brasil. De qualquer maneira, poderia se adaptar novamente à realidade do país.

O que o incomodava era precisar conquistar de novo as pessoas e ficar fora de uma comunidade franciscana. Não gostaria de pisar no altar para celebrar a missa e ver pouquíssimas pessoas na assembleia. Além disso, em uma região pobre, de baixa escolaridade, não poderia fazer uso de seus estudos teológicos mais profundos nas homilias. Os termos técnicos não poderiam ser usados em profusão. Enfim, todo o preparo teológico ficaria guardado para outra ocasião.

Ainda assim, Antônio sabia que o convite, mais uma vez, era irrecusável. Aquele homem o formara um grande teólogo. Agora, cobrava dele obediência e humildade: servir a Cristo com todo o amor, não importando onde. Era a hora de jogar com o coração. Ser pai verdadeiro para um rebanho necessitado, mesmo que fora de sua ordem.

Os superiores franciscanos não se opuseram aos planos do bispo, já que ele era um homem muito presente nos pleitos que a ordem fazia à diocese do Rio de Janeiro. Era uma situação diplomática. Sem objeções de nenhuma das partes, só restava a frei Antônio fazer as mudanças e ir morar na casa paroquial dirigida pelo padre José.

CAPÍTULO X

Invisível

Um franciscano. Além de padre, era frade. Padre José deveria ter se referido ao homem como frei Antônio. Eu nunca soube dos termos técnicos da Igreja Católica, mas quando questionei José, na semana seguinte, e lhe disse que o homem era da Ordem de São Francisco de Assis, ele me explicou a questão.

Antônio fizera votos sob as regras da Ordem Franciscana e passara a viver em comunidade com os outros frades. Posteriormente, após a conclusão dos seus estudos, fora ordenado. Poderia ter sido somente frade, sem ser padre, mas, como a maioria das pessoas que seguem esse caminho, desejava se tornar sacerdote. Ele estava "emprestado" à diocese do Rio de Janeiro para auxiliar José na pequena paróquia.

Aproveitei-me de uma confissão que tive com José para buscar um pouco mais de informações sobre meu paciente sacerdote. Ele foi muito reticente. Não queria falar muito dos supostos fenômenos. Pediu que eu introduzisse o tema com o próprio frade. Então, perguntei sobre a história do "padre invisível".

– Ah! Aquilo... – Ficou visivelmente desconcertado. – Não sei bem o que se passa com aquele grupo de senhoras. Às vezes penso que são supersticiosas!

Tentou fugir do assunto transferindo a culpa do evento para aquelas mulheres.

– Não me pareceu. Olhei bem para o grupo e percebi que eram bem sinceras. Inclusive, pelo que pude entender, os detalhes batiam em cada um dos discursos. Vi seu rosto na hora e percebi que você foi pego de surpresa. Não esperava algo assim. Um palpite meu: você acreditou naquilo tudo.

Cruzei as pernas e esperei a resposta.

– Um homem que pode desaparecer diante da multidão... Você crê que isso possa ser verdade? – retribuiu a pergunta, olhando para a mesa desorganizada de sua sala.

– Não, mas me assusta o fato de você, um homem instruído e culto, acreditar. Por que não me fala um pouco a respeito? Gostaria de não ser tão ignorante no tema metafísico. Quero a sua opinião verdadeira. – Usei de humildade para incentivá-lo a falar.

– Bem, é possível que um homem fique invisível. Pelo menos eu acredito que seja. Conheço a história de um homem, falecido no final dos anos 1960, que tinha esse estranho poder. Creio que ele não desaparecia, mas criava uma ilusão na mente das pessoas, que não o podiam enxergar.

Tomou ar e permaneceu um segundo em silêncio, me estudando.

– Você quer dizer que há registros de um sujeito que, em pleno século XX, tinha o poder de ficar invisível diante de uma multidão?

Segurei o riso para não assustá-lo. Precisava daquela informação.

– Sim, é isso aí.

Parecia desconfortável com o tema. Ajeitou as mãos em concha no próprio colo e deu uma rápida batucada. Eu me inclinei na cadeira em sua direção para captar tudo o que pudesse daquela explanação.

– Na Itália, havia um sacerdote, hoje já canonizado, chamado padre Pio. Bem, esse era o nome que adotou quando foi ordenado sacerdote. Chamava-se, na certidão de nascimento, Francesco Forgione. Nascera em 25 de maio de 1887, em Pietrelcina. Um homem que tinha os mais espantosos fenômenos paranormais. Era um santo espetacular, em todos os sentidos da palavra! – Deu uma risadinha antes de continuar. – Era frade capuchinho, portanto mais um filho de São Francisco de Assis, como o nosso querido frei Antônio. Viveu a maior parte da vida sacerdotal em um convento, na pequenina cidade de San Giovanni Rotondo, na Itália. Ficou conhecido no mundo inteiro por causa de seus extraordinários feitos. De todas as partes do planeta, as pessoas iam àquele lugarejo para encontrá-lo. Imagino a confusão que era!

O sorriso de canto de boca era indisfarçável. Sem sombra de dúvida, apreciava o santo.

– Em vida, contavam inúmeras histórias suas. Depois de morto, publicaram vários livros a seu respeito. Tenho um deles lá em cima, no meu quarto. Está em inglês e chama-se *Padre Pio of Pietrelcina: Memories, Experiences, Testimonials*. Foi escrito por um dos seus irmãos frades, Alberto D'Apolito, que cuidou do santo durante algum tempo, por causa de seus problemas de saúde.

– Que coisa interessante, José. Quer dizer que há histórias publicadas sobre essas coisas. Eu nunca tinha nem ouvido falar desse homem, e olha que estudei em colégio de freiras e cursei universidade católica!

Estava bastante interessada no tema, quem diria.

– Esse frade, Alberto, conta que, por causa da péssima saúde de padre Pio, era necessário que algum frade o acompanhasse do convento até a igreja para celebrar a missa ou atender as pessoas no confessionário. Como o santo era muito procurado, sempre havia uma multidão a esperá-lo ao final de seu trabalho. Eles o cercavam para conseguir qualquer contato, nem que fosse um pedaço de suas vestes, quando se encaminhava de volta ao convento.

– Meu Deus! Quer dizer que alguns chegavam a rasgar o hábito do velho padre para poder levar um pedaço de tecido para casa?

– Isso aí, Gabriela! Desde jovem, ele já gozava da fama de santidade. Tinha, inclusive, as chagas de Jesus pelo corpo. As mais aparentes estavam nas palmas das mãos. O povo do mundo inteiro, sedento de Deus, ia atrás do homem. – Como eu ainda estava espantada, ele prosseguiu: – Sabendo da existência de um santo frade italiano, as pessoas necessitadas se dirigiam até aquela localidade erma para receber uma bênção, tocar nele ou levar um pedaço de sua roupa, para que a graça desejada fosse alcançada – disse ele, sorrindo.

– Desculpe, mas, para mim, é algo absurdo! Muito primitivo!

Reclinei-me na cadeira. Sentia que aquilo tudo fora tirado de um documentário do National Geographic.

– Bem, voltando... Ele detestava essa idolatria toda. Não queria que tocassem nele. Pior ainda se arrancassem pedaços de sua roupa. Ficava bem bravo! Era um italiano do interior, sujeito bronco... Agora, difícil mesmo era o trabalho do frade encarregado de levá-lo e buscá-lo. Tinha que controlar o tumulto e cumprir sua missão sem que ninguém se machucasse.

Soltou uma boa gargalhada, como que visualizando aquela cena inusitada.

– Frei Alberto conta que, em algumas ocasiões, o frade encarregado da missão não sofria absolutamente nenhuma pressão do povo. Ele tomava o braço do padre Pio que, calmamente, se levantava de sua cadeira e, pasme, passava pelo meio da multidão sem ser percebido. Note: ninguém o reconhecia! Algumas vezes não viam nem o frade que o conduzia de volta para o convento!

– Como isso é possível? – perguntei, assombrada.

– Nem mesmo os frades que passavam pela experiência sabiam a resposta. Só sabiam que o santo havia ficado invisível. O próprio padre Pio, quando questionado, dava sinais de que era exatamente isto que havia acontecido: um homem que tinha o poder de se tornar invisível para não ser atacado pela multidão!

José tentou amansar os cabelos revoltos que lhe caíam pela testa.

– Será que essas senhoras aqui da paróquia conhecem essa história? Queria saber se não era um efeito psicológico da devoção ao santo.

– É possível. Mas, se passar os olhos por esta igreja, vai perceber que não há nenhum objeto de devoção a padre Pio. Não há nada que possa tê-las induzido a falar sobre o fenômeno. O dia do santo nunca é comemorado aqui. Não se fala nele aqui. Então, não acredito que tenha sido algo produzido pela mente delas. Aliás, são muitas. Todas com a mesma história? Isso me preocupa demais. Imagina se começa a vazar a informação de que um padre que pode ficar invisível está na paróquia? – perguntou, pondo as mãos no rosto.

– Seria um problema sério para administrar. Acho que você teria uma multidão de curiosos na sua porta. Não haveria sossego. A imprensa, então, já pensou? – indaguei, ajeitando a saia.

– Não quero nem pensar nisso. Por isso nós a contratamos! Você vai pensar por nós. Vai, com toda a certeza, chegar a alguma conclusão sobre o caso. Já sei que acredita em Deus. Será que acredita em fenômenos paranormais? Isso é algo bem diferente. Muita gente que conheço acredita em Deus, mas é descrente dessas coisas. – Ele parou um segundo para respirar. – Digo mais: muita gente que acredita que Deus existe não crê em milagres. Apenas pensa que a morte não é o fim de tudo. Que haverá um purgatório ou um céu a esperar por eles. – Enquanto tecia seus comentários, ele olhava para o chão coberto pelo sinteco.

– Não sei bem no que acredito. Mas garanto que acredito na existência de Deus. Não sei sobre milagres, mesmo porque vi minha mãe pedir por um quando meu pai estava doente e... – Parei, observando-o.

– Claro, claro! Não quero misturar as coisas. Não tem nada a ver falar da sua condição espiritual ou de crenças inseridas no caso de frei Antônio. Acho que você tem o distanciamento adequado para tratá-lo.

– Eu sei. Não estava falando disso. Só queria que você soubesse que não importa meu atual estágio de fé. Farei o melhor trabalho possível. Não sei se o homem pode ou não ficar invisível, nem é esse o objeto da análise!

Abri um sorriso para descontrair.

– Quanto ao assunto da invisibilidade, você pode perguntar a ele. Ele nunca me procurou para falar sobre isso. Nem aos outros padres que moram conosco. Não sei de nenhuma conversa sobre o ocorrido. Por isso fui pego de surpresa – admitiu, com uma expressão dolorida.

– Olha, José, não há nada de mais em não querer falar sobre dons espirituais. Talvez seja algo muito particular para ele. Ou, então, pensa que não tem relevância prática para as tarefas que os outros padres desempenham aqui dentro. Quem sabe o fenômeno ocorreu sem seu controle?

– Gabriela, tentei falar com ele naquele mesmo dia. No jantar, depois daquela missa. Não na frente dos outros padres. Esperei ele ir até a geladeira e fui atrás, na cozinha. Comentei em voz baixa o que tinha se passado. Ele apenas sorriu para mim e disse que as senhoras realmente eram muito divertidas – esclareceu José, muito contrariado.

– Entendo. Não quis mesmo falar sobre o assunto. Mas também não desmentiu. Vai me dar certo trabalho esse franciscano! – falei sorridente, com voz alegre, para dar confiança ao padre José e demonstrar que o que havia ocorrido não era motivo de preocupação.

O coroinha veio avisar que já estava na hora de começar a missa, acrescentando que a igreja estava lotada. O assunto se encerrou imediatamente. José me convidou a sentar no presbitério, em uma das cadeiras destinadas aos leitores. Pediu, inclusive, que eu fizesse a primeira leitura. Muito satisfeita, aceitei.

Li um trecho do Livro do Apocalipse:

– "Depois disso eu vi uma grande multidão, que ninguém podia contar: gente de todas as nações, tribos, povos e línguas. Estavam todos de pé diante do trono e diante do Cordeiro. Vestiam vestes brancas e traziam palmas na mão. Em alta voz, a multidão proclamava: 'A salvação pertence ao nosso Deus, que está sentado no trono, e ao Cordeiro.' Nessa hora, todos os Anjos que estavam ao redor do trono, dos Anciãos e dos quatro Seres vivos, ajoelharam-se diante do trono para adorar a Deus."

Levantei os olhos para acompanhar o interesse da plateia.

– "E diziam: 'Amém! O louvor, a glória, a sabedoria, a ação de graças, a honra, o poder e a força pertencem ao nosso Deus, para sempre. Amém!' Um dos Anciãos tomou a palavra e me perguntou: 'Você sabe quem são e de onde vieram esses que estão vestidos com roupas brancas?' Eu respondi: 'Não sei não, Senhor! O Senhor é quem sabe!' Ele então me explicou: 'São os que vêm chegando da grande tribulação. Eles lavaram e alvejaram suas roupas no sangue do Cordeiro.'"

Percebi que as senhoras sentadas à minha frente vibraram com o que eu tinha acabado de ler.

– "É por isso que ficam diante do trono de Deus, servindo a ele dia e noite em seu Templo. Aquele que está sentado no trono estenderá sua tenda sobre eles. Nunca mais terão fome, nem sede; nunca mais serão queimados pelo sol, nem pelo calor ardente. Pois o Cordeiro que está no meio do trono será o pastor deles; vai conduzi-los até às fontes de água da vida. E Deus lhes enxugará toda lágrima dos olhos." Palavra do Senhor.

Terminei com um suspiro. Voltei ao meu assento e a missa prosseguiu com o salmo responsorial.

José não fez nenhum comentário na homilia sobre a passagem lida por mim. Limitou-se ao evangelho do dia. Como fiquei curiosa sobre o que significavam todas aquelas alegorias, resolvi perguntar, ao final da missa, do que se tratava tudo aquilo. Queria ver qual seria sua reação diante de um texto tão abstrato.

– Deus nos deu vários talentos. Eles são valiosíssimos. Não devem ficar guardados. Também não são para mero deleite de quem os possui. Ele espera que os coloquemos a serviço dos outros. Mas não só isso: quer que os dons sejam explorados ao máximo! Com coragem! Que se multipliquem. Deus nos coloca em teste aqui no mundo e quer nos atribuir responsabilidades cada vez maiores. Mas deixa claro que seremos bastante recompensados! – explicava ele enquanto retirava as vestes da missa.

– Que bom! Então, o fato de você cuidar com tanto esmero de um homem como frei Antônio o favorece diante dos olhos de Deus, não é?

Ele me olhou de soslaio e sorriu sem graça.

– Pode ser. Mas não é o suficiente para alcançar o reino de Deus. É uma pequena parte da minha missão como chefe desta casa. Tenho outros padres para cuidar também. – Visivelmente, não queria entrar de novo no assunto do padre paranormal.

Sentei-me na cadeira, aguardando que ele retirasse seus paramentos enquanto atendia às senhoras que vinham lhe pedir para benzer objetos religiosos ou para lhe cumprimentar pela bela missa. Algumas, inclusive, trouxeram-lhe guloseimas para alegrar seu domingo. Percebi quanto aquilo o agradava. Elas o beijavam carinhosamente no rosto. Era de fato querido pelas pessoas.

Ao terminar de se arrumar, por um momento seus olhos pareciam ver através de mim. Houve um enorme silêncio, um vazio que se estabeleceu na sacristia. De repente, ele continuou:

– Deus recompensará todo esforço, toda luta nesta Terra, daqueles que querem de verdade repousar junto dele por toda a eternidade. O Livro do Apocalipse, tão temido pelos supersticiosos, nos dá um grande alento no capítulo lido por você.

– Mas esses dons e missões são atribuídos só aos de Cristo? – indaguei com ares de provocação. Precisava ver quanto sua mente era aberta e compreensiva para com a sociedade moderna que o rodeava.

– Claro que não! Você acha que, no imenso mundo em que vivemos, apenas surgem santos na Igreja Católica? E as outras pessoas, que nascem e crescem em outras religiões, vêm ao mundo a passeio?

Ele sorriu, um tanto indignado. Como não respondi nada, ele prosseguiu, num tom mais contido, respirando num ritmo mais lento:

– Ora, Deus é Pai de todos os seres humanos. Todo mundo tem uma missão aqui. Tem trabalho para todos neste planeta! Excluir pessoas por motivo de religião ou raça não faz nenhum sentido. – Ele estava descontente com a minha pergunta. Ótimo sinal. – Na minha opinião, Gabriela, o texto demonstra que todos nós passaremos por situações difíceis. Não interessa se temos ou não uma religião. Não interessa nem mesmo se acreditamos em Deus. Basta estar vivo. – Havia uma intensidade diferente nas palavras e em seu olhar. – Precisamos lavar e alvejar nossas vestes no sangue do Cordeiro. Ninguém encontra a glória sem antes passar pela cruz. Esse ensinamento é fundamental. É universal. Não tem credo, raça nem sexo. Já que estamos na Igreja Católica, posso garantir que está totalmente de acordo com a mensagem deixada por Cristo.

Não havia necessidade daquele último discurso. Qualquer pessoa, por menos instruída, guarda a certeza de que em alguma hora da vida vai enfrentar uma tribulação. Eu, que já havia passado por tantas, tinha certeza de que nenhum ser humano havia partido incólume para a outra vida.

Para colher a parte que mais me interessava, tendo em vista o tratamento de Antônio, precisava da informação sobre os dons: como as pessoas, na visão sacerdotal, deveriam colocar seus talentos à disposição da sociedade. Não me dei por satisfeita e indaguei:

– Você falou de dons. Colocá-los à disposição do próximo?

– Além de enfrentarmos o sofrimento de cabeça erguida, precisamos colocar nossos dons a serviço da comunidade em que vivemos. É preciso que boas obras surjam daí. E mais: não só que elas sejam boas, mas que sejam muito bem executadas. Cada um deve se esforçar ao máximo, por amor a Deus e ao próximo. – Parecia estar discursando sobre sua própria vida.

– Você coloca seus talentos todos à disposição da comunidade? Do povo, mas também dos padres que estão sob seu comando aqui na paróquia? – perguntei em voz baixa.

– Há dias em que penso estar no caminho certo. Outras vezes, tenho tantas dúvidas que não sei. Agora, com a história de Antônio escapando de minhas mãos, tenho rezado muito.

Mais uma vez, passou a mão pelos cabelos encaracolados.

– E o que você pede a Deus? Paz? Soluções? Como é a conversa?

– Sou sempre muito direto com Ele, não fico enrolando. Não tenho fórmulas prontas para apresentar minhas questões ao Pai. Faço o máximo para deixar tudo claro para Ele. Sei que não precisaria, mas é como prefiro agir. – Ele meditava com as próprias palavras.

– Seu método tem apresentado algum resultado ultimamente? – provoquei de novo.

– Sempre provou sua eficácia, Gabriela, sou um homem muito prático. Se alguma coisa se mostra útil, eu a adoto. Se não tem nada a ser aproveitado, jogo no lixo. Não tenho tempo a perder. Há tantas coisas a serem feitas...

Ele suspirou e fechou os olhos por um instante.

– Você me parece cansado. Vou deixá-lo em paz por hoje. Podemos falar mais em outra hora. Não fique se punindo pelos acontecimentos com frei Antônio; não é sua culpa o que se passa aqui. Você tem sido um ótimo padre. Percebo pelo carinho dos paroquianos. Não há nada de errado, até onde eu possa ver, com a sua administração.

– Deus a ouça! Bem, estou um pouco cansado, sim. Vamos deixar nossa conversa para outra hora, então. Por hoje, posso garantir que, se alguém ajudou outra pessoa, foi você! Me deu um ânimo todo especial este nosso papo. – Ele sorriu gentilmente para mim. – Sério mesmo. Eu estava bastante preocupado em não perder as rédeas das coisas aqui dentro. Você tem toda a razão: há coisas que fogem ao nosso controle. Não tenho poderes sobre tudo e todos. É uma ilusão. Até mesmo um erro.

O padre me abraçou e fez o sinal da cruz sobre minha fronte.

Parti satisfeita com o que tinha visto e ouvido. Aquele lugar me parecia absolutamente dentro da normalidade. As pessoas que participavam da missa, também: portavam-se como devotas que eu sempre observara em qualquer igreja desde pequena.

Dirigindo meu carro, matutava sobre a conversa com José. Não bastava mesmo que eu tivesse talento para a psicologia. Era preciso colocá-lo em prática, atingindo o melhor resultado dentro da minha capacidade, tratando as pessoas que viessem ao meu consultório com amor e dedicação. Precisava analisar os meus dias, não apenas os pacientes. Quem sabe até precisava rezar.

Estacionei na minha garagem, ansiosa por mais um encontro com frei Antônio na segunda-feira. Tinha muita curiosidade em saber quem era de fato aquele homem. Previamente, havia colhido informações sobre seu local de trabalho e residência. A princípio, tudo parecia normal. Nas nossas primeiras sessões, ele nada disse sobre seu sofrimento. Subi no elevador social com dores enormes na testa. Minha visão se nublou um pouco, a ponto de me fazer errar duas vezes a fechadura de casa. Finalmente, entrei e me deitei no sofá da sala. Toda a parte frontal do crânio parecia pulsar em ritmo acelerado.

CAPÍTULO XI

Miguel

O grupo estava reunido na entrada do santuário, embaixo da imagem de São José com o Menino Jesus nos braços. Todos foram convocados pelo guia, Miguel, a seguir para o hotel. Hora do almoço. A comida não era das melhores e eu não estava com fome. Queria ouvir um pouco sobre a experiência que as outras pessoas haviam tido naquela manhã de orações.

– Eu não entendo muito dessas coisas de Nossa Senhora. Quer dizer que podemos beber da água do santuário? É potável e, ainda por cima, milagrosa? – perguntei, interessada, após ouvir Ana sobre o assunto.

– Sim! Você precisa beber urgente da água. De hoje não passa. Quando voltarmos lá, para nossa oração da tarde, a primeira coisa que vai fazer é beber. Eu mesma vou levar você! – respondeu Marta, uma baixinha gordinha, com os cabelos pintados de louro.

– A fonte da água do santuário foi providenciada pela própria Virgem Maria, numa das aparições a Bernadette – completou Teresa.

– Pois é... A minha sogra bebeu dessa água por duas semanas. Logo depois, os médicos estavam chocados com seu exame. Não aparecia mais nenhum tipo de lesão no seio! Ela, então, deu uma medalha de Nossa Senhora de Lourdes para cada um dos médicos e lhes disse que a Virgem a tinha curado – disse Ana.

– E os médicos? O que acharam disso tudo? – perguntei, curiosa.

– Me lembro que ficaram sem saber o que falar. Não pareciam acreditar na história contada pela minha sogra, mas, ao mesmo tempo, não tinham uma explicação científica para o que havia acontecido. Por via das dúvidas, todos guardaram suas medalhas de Lourdes – finalizou Ana, rindo.

– Olha, confesso que não conheço exatamente a história do Santuário de Lourdes; só sei que tem a questão da fonte e do banho. Dizem que, ao longo dos séculos, a água tem feito milagres.

Miguel se aproximou da nossa mesa para saber se estava tudo bem. Teresa, sorridente, encaminhou a minha dúvida a ele. Nosso guia, muito gentilmente, passou a nos contar a história do lugar.

– É bonito demais! Todas as vezes que piso aqui me arrepio todo! Bom, em 11 de fevereiro de 1858, uma camponesa chamada Bernadette foi apanhar lenha numa gruta à margem do rio Gave, que vamos visitar mais tarde. Então, ouviu um barulho que parecia uma rajada de vento.

Miguel pigarreou, depois continuou:

– Olhando para a mata do lugar, a menina percebeu que as árvores não se mexiam e não havia ninguém lá. Antes de prosseguir com a tarefa, escutou novamente o mesmo barulho e, erguendo os olhos em direção à gruta, viu uma mulher vestida de branco, com véu branco e cordão azul à cintura.

Nesse exato momento, visualizei a imagem que havia na casa de minha mãe.

– Além disso, tinha uma rosa amarela sobre cada um dos pés. Eram da mesma cor que o rosário que trazia nas mãos. – Enquanto falava, retirou do bolso um objeto e o exibiu, todo orgulhoso: um terço exatamente como acabara de descrever. – Bernadette rezou o terço com a belíssima mulher, que, logo após, desapareceu misteriosamente. Era Nossa Senhora do Rosário! Vejam que, neste exato local, ocorreram dezoito aparições da Virgem. Em uma delas, a nona, em 25 de fevereiro de 1858, a Mãe Santíssima disse à menina que bebesse da água.

As mulheres tagarelavam para mim, avisando que era impensável uma pessoa pisar no Santuário e não ingerir a preciosidade líquida.

– Calma, gente! Vamos continuar a história. Como não via nenhuma fonte, Bernadette se dirigiu até o rio Gave para pegar um pouco de água. Maria Santíssima a deteve, disse que não era lá e apontou para o lugar correto. No local indicado, havia só um pouco de água lamacenta.

Pensei comigo mesma: "Que nojo! Será que a moça bebeu da lama?" Achei melhor não me expressar em voz alta para não ofendê-los. Miguel elevou a voz:

– Diante da determinação da Virgem, a menina escavou um pouco a lama e bebeu da água suja. Passado um pouco de tempo, a fonte ficou com água cristalina.

Meu coração agitado questionou: tudo aquilo era verdade? É normal as pessoas acabarem exagerando nas histórias.

– Essa é a fonte que temos aqui até hoje! Com a água milagrosa, que tantas curas já realizou em pessoas das mais diversas nacionalidades no decorrer dos anos.

Ele apoiou uma das mãos em meu ombro, a outra em Ana.

Puxando uma cadeira para se sentar conosco, Miguel falou, ainda, da história de um soldado inglês que, combatendo na Primeira Guerra Mundial, ficou gravemente ferido, impossibilitado de caminhar normalmente. Tomando conhecimento da fama do lugar, resolveu pedir a pessoas próximas que o levassem até Lourdes, para rezar a Nossa Senhora por cura.

Diante do seu estado de saúde e, claro, da falta de fé, ninguém quis levá-lo até o santuário. Alegavam que seu físico debilitado era muito delicado. Os médicos diziam que ele não aguentaria a longa viagem de trem do Reino Unido até o sul da França.

– Gente, aquele homem tinha uma certeza no coração. Escapou da vigilância da família e dos médicos. Com muito esforço, cambaleante, conseguiu pegar um trem para a França. Chegou a Lourdes com a saúde muito abalada. Levaram-no para o hospital da cidade. Lá o internaram. Ele pediu que os funcionários o levassem até a gruta para tomar um pouco da água milagrosa. Os médicos disseram que ele não tinha ainda condições de ir até lá. – Miguel gesticulava alegremente, enquanto contava o caso. – Um dia o soldado escapou da vigilância do hospital e, com um enorme esforço, foi até o Santuário para beber e jogar sobre si a água da gruta. Imaginem só! Um homem que mal podia andar. Foi se arrastando até o local, na escuridão da noite, como um fugitivo! – Ele gargalhou ao imaginar a cena.

– Ele conseguiu chegar lá? – perguntei em coro com Ana.

– Se conseguiu? O sujeito era raçudo. Já havia chegado à França semimorto, imagine se não iria até a gruta! Banhou-se e tudo o mais – Ele soltou outra risada.

– O que aconteceu? Ficou curado milagrosamente? – indagou Ana.

– Ficou inteiramente curado, para surpresa dos médicos franceses. Retornou à Inglaterra, contando a todos o que havia acontecido. Ele era a prova viva do poder daquelas águas.

Miguel concluiu dando um tapa na mesa e pedindo licença para se levantar. Após ouvir esse relato, meu coração se agitou imensamente. Talvez aquilo pudesse acontecer com uma pessoa como eu.

O almoço seguiu seu rumo. Foi muito agradável e alegre. Os peregrinos já estavam mais enturmados. Eu me sentia à vontade na presença dos outros. No final, até a comida achei boa! Bebi um pouco de vinho também. Depois, fui descansar em meu quarto, aguardando o próximo encontro.

Ao me deitar na cama, lembrei como havia conhecido Miguel. Além de guia turístico, ele era sócio-gerente da empresa que promovia as peregrinações pela Europa. Foi na semana seguinte a um dos piores dias da minha vida, quando recebi um diagnóstico sinistro por parte dos médicos.

As dores de cabeça tinham se tornado frequentes. Muito fortes. Certos dias me impediam até de trabalhar. Vinham a qualquer hora do dia ou da noite, causando uma insônia insuportável. Como achei que aquilo fugia à enxaqueca habitual, decidi procurar um neurologista, que passou diversos exames.

Numa sexta-feira, fui apanhar os resultados dos exames: um câncer estava crescendo dentro da minha cabeça. Num primeiro momento, pensei que não estava enxergando bem. Depois, veio uma ânsia enorme de choro, mas me contive. Em casa, desabei. Solucei descontroladamente na cama, molhando todo o lençol. Pior: estava sozinha no mundo. Meus pais já haviam ido embora. Não tinha mais marido nem filhos. Ninguém seria por mim!

No sábado, corri até a igreja do padre José. Ao ver meu rosto, imediatamente me convidou à sua sala. Não consegui dizer muita coisa. Chorei copiosamente. Percebi que ele ficou muito nervoso e não compreendeu do que se tratava. Tratei de secar as lágrimas e apresentar o diagnóstico a ele.

– Gabriela, sabe a missa das onze horas? Então, tem aquele grupo de senhoras que você viu outro dia. Nele, há uma mulher muito interessante: Carolina. É uma advogada que obteve uma cura milagrosa. – Eu torci o nariz, então ele prosseguiu: – Espere! Não é brincadeira. Está tudo documentado. Tenho aqui comigo uma cópia dos exames dela. O antes e o depois. Ela mesma fez questão de me entregar e pediu que eu guardasse como um sinal de Nossa Senhora. Vou lhe mostrar.

Caminhou até seu armário e, abrindo uma gaveta que estava trancada com uma chave, trouxe uma pasta com papéis. Analisei seu conteúdo. Batia com o que o padre acabara de me dizer.

– Se quiser, posso apresentar você a ela. Daí pode tirar suas dúvidas. Sei que você é desconfiada, dona psicóloga! – acrescentou, com um sorriso.

Diante do desfiladeiro obscuro que se apresentava à minha frente, concordei. Desta vez, participei da missa no último banco da igreja.

Não prestei atenção nas leituras nem na homilia. Não tinha cabeça para mais nada. Só pensava que ia morrer em um espaço muito curto de tempo. Estava apavorada.

Ao final da celebração, ele me chamou à sua sala. A advogada estava lá, sentada, e levantou-se simpaticamente para me cumprimentar. Ela disse que, havia alguns anos, teve um diagnóstico de diabetes. Ficou muito triste, deprimida. Um dia, uma amiga de trabalho lhe deu de presente uma imagem de Nossa Senhora de Lourdes.

Ela perguntou o que significava. A amiga informou que se tratava da Mãe de Jesus, que lhe tinha obtido uma graça especial. A advogada quis saber como isso se dera. Sua amiga contou que havia viajado com um grupo a um santuário na Europa e pedira a tal graça a Nossa Senhora.

A advogada se sentiu encorajada a fazer o mesmo. A peregrinação durou dez dias. Um mês depois de seu retorno da viagem, foi fazer exames. A diabetes havia desaparecido misteriosamente. O médico não sabia explicar. Apenas disse que poderia ser um milagre.

Palavra mágica! No mesmo momento, lhe falei que precisava obter um milagre para minha vida. Ela sorriu. Meus olhos, contudo, expressavam dúvidas. Apesar de ter visto seus exames, não sabia se a mesma lógica mística se aplicaria ao meu caso.

Porém, seu relato era impressionante! Saímos juntas da sala de José. Enquanto descíamos as escadarias da igreja, um homem se aproximou e abraçou Carolina. Ela me apresentou a ele. Chamava-se Miguel e era dono da agência de viagens que fazia as peregrinações para os santuários marianos na Europa.

Carolina contou ao homem sobre minha situação. Ele disse que, em três semanas, sairia com um grupo de peregrinos para a França. Após alguns dias em Paris, o destino final era um lugar muito especial, Lourdes, onde Nossa Senhora aparecera a uma jovem camponesa. Ao pé dos Pirineus. Percebendo meu interesse, Miguel me convidou para ir a seu escritório e conversar sem compromisso sobre peregrinações. Aceitei.

Era um sujeito muito eloquente e simpático. Contou-me que, quando tinha 35 anos, era servidor público municipal. Estava casado e tinha três filhos. Sua situação financeira não era boa. O estado de saúde de sua filha caçula também era preocupante. Católico praticante, foi um dia a uma missa no centro da cidade do Rio de Janeiro, numa igreja próxima ao trabalho. Ajoelhou-se no último banco e fechou os olhos. Pediu uma solução para seus problemas financeiros e uma cura definitiva para a pequenina.

Naquela missa, um padre muito jovem, de no máximo 25 anos, leu uma passagem do Evangelho de São Lucas. No início Miguel não estava cativado, mas então começou a prestar atenção:

– "Naquele tempo, Jesus estava na margem do lago de Genesaré. A multidão se apertava ao seu redor para ouvir a palavra de Deus. Jesus viu duas barcas paradas na margem do lago; os pescadores haviam desembarcado, e lavavam as redes. Subindo numa das barcas, que era de Simão, pediu que se afastasse um pouco da margem. Depois sentou-se e, da barca, ensinava as multidões."

O padre levantou os olhos, vacilante.

– "Quando acabou de falar, disse a Simão: 'Avance para águas mais profundas, e lancem as redes para a pesca.' Simão respondeu: 'Mestre, tentamos a noite inteira, e não pescamos nada. Mas, em atenção à tua palavra, vou lançar as redes.' Assim fizeram, e apanharam tamanha quantidade de peixes, que as redes se arrebentavam." Palavra da Salvação.

O padre respirou fundo e ajeitou as vestes. Pegando o microfone sem fio, desceu do altar e andou pela pequena igreja proferindo seu sermão. Parou em frente a Miguel e disse:

– As duas barcas significam a dúvida: qual caminho se deve seguir? Retrata o medo que tem todo homem que está com os pés na terra e precisa ir mar adentro.

Miguel, que havia percebido a inexperiência do jovem padre, não acreditou no que ouvia. Justamente a situação por que ele passava; como era possível?

— O primeiro movimento de ousadia daquele que confia em Deus é, portanto, deixar a terra e pisar em uma das barcas.

A frase teve um efeito interessante no ânimo de Miguel: sentiu-se renovado e fortalecido de imediato! Naquele instante, compreendeu que Deus, por intermédio daquele rapaz que iniciava sua carreira sacerdotal, estava falando com ele. O padre prosseguiu seu discurso, virando-se para um homem sentado em outro banco.

— Vejam que o Senhor só começa a dar alguns ensinamentos no momento em que a barca se afasta das margens. Só começaremos a compreender os mistérios de Deus se tivermos a coragem de nos afastar daquilo que é palpável, seguro, conhecido.

As poucas pessoas na missa fizeram profundo silêncio, esperando que o padre continuasse seu raciocínio nada convencional. Miguel sabia que era verdadeira a premissa. Até aquele dia, ele não tivera coragem de ousar, de confiar em Deus e tentar uma vida nova. Ficara somente no desejo.

— Mas este primeiro degrau na busca pela espiritualidade não basta. Deus quer mais. Quer que tenhamos total confiança nele. Notem bem: Ele nos convida a partirmos em direção às águas mais profundas, onde a verdadeira pescaria se encontra.

Miguel baixou a cabeça e deslizou os dedos pelos cabelos.

— Imaginem, meus queridos, o medo e a desconfiança daqueles homens pescadores! Simão chega a dizer que só vai às águas mais profundas em consideração a Jesus. Não crê que haja algo de bom lá. — Percebendo que prendia a atenção da assembleia, o padre sorria mais solto. — Queridos filhos, vejam que nós, assim como Simão, olhamos para as águas profundas com desconfiança. Pensamos que nossa vida é na terra firme, cuidando da nossa casa, da nossa vida profissional, nos divertindo, vendo televisão... Todas essas coisas, claro, têm sua importância. Mas não nos dão a vida eterna. A vida eterna está nas águas profundas.

Nesse momento, algumas pessoas se levantaram e saíram da igreja. Sem se incomodar, o padre continuou:

– Não sabemos o que nos espera nesse mergulho nas águas da profunda espiritualidade, da vivência real do mundo espiritual. A princípio, parece bobagem, perda de tempo. Somos como Simão. Aliás, na maioria das vezes, somos piores do que Simão! Alguém sabe por quê?

Os fiéis olhavam fixamente para o sacerdote, mas ninguém quis responder à pergunta.

– Apesar de achar que não daria em nada ir até as águas profundas, Simão resolveu arriscar. Teve confiança no Senhor. Em nome da sua consideração pelo Mestre, dirigiu-se ao local indicado. – O silêncio permanecia imperando e ele prosseguiu: – Meus queridos, sem a vida de profunda espiritualidade, não veremos a abundância do reino de Deus. Não teremos a riqueza que faz com que as redes de pesca estejam tão cheias a ponto de se romperem. Coragem, meus filhos, vamos em busca da profunda espiritualidade, para mudarmos de vez nossa vida! Aceitem o chamado do Mestre, e confiem nele.

Depois, a missa foi se desenrolando normalmente.

Não dava mais para Miguel adiar a decisão de sua vida. Arriscava tudo e tomava novo rumo ou continuava em terra firme, na vida que tinha montado, observando o sofrimento da filha e as dificuldades enormes por que passava a família.

Levantou-se e foi comungar. Após receber o Corpo e o Sangue do Senhor, ajoelhou-se e fechou os olhos. Em prece silenciosa, pediu que o Mestre lhe desse um sinal mais claro do que devia fazer; queria atingir as águas profundas.

Quando abriu os olhos, no banco da frente, um pouco amassado, encontrava-se o panfleto de uma excursão para Fátima, em Portugal. Ele se lembrou de sua falecida mãe, uma portuguesa, muito devota da Virgem de Fátima. Sentiu no coração que deveria fazer tal viagem. Após o encerramento da missa, Miguel procurou o pároco da igreja na sacristia e lhe pediu referências sobre a peregrinação. O padre, muito solícito, deu-lhe todos os dados. Inclusive, disse que iria acompanhar o grupo como diretor espiritual.

Miguel retornou ao trabalho e ficou ruminando a hipótese até o fim do expediente. Chegou em casa e contou para a mulher. Muito preocupada, ela tentou demovê-lo da ideia, por razões financeiras. Ele afirmou que uma voz lhe chamava dentro do coração. Seria tudo ou nada! Conformada com a fixação do marido, ela desistiu.

O grupo de viagem era formado basicamente por senhoras idosas. Ele era o único homem, o único com menos de 45 anos. Foi acolhido com bastante carinho, como se fosse o neto de todas elas. Ficou muito impressionado com a fé daquela gente. Elas se prontificaram a interceder pela causa dele diante de Nossa Senhora.

Por algum motivo, aquilo fortalecia o sentimento de que sua vida iria mudar. Logo depois que voltou da peregrinação, encontrou a filha em ótimo estado de saúde. O pediatra lhe disse que essa melhora poderia ter ocorrido em virtude de seu crescimento e fortalecimento. Na cabeça de Miguel, não era isso que tinha acontecido.

Dois anos depois, fortalecido pela fé que passou a vivenciar desde a peregrinação ao Santuário de Fátima, decidiu largar o serviço público e se tornar agente de viagens, com uma especialidade peculiar: peregrinações aos santuários marianos pelo mundo. Finalmente estava nas águas profundas.

O negócio parecia abençoado pela Virgem Maria. Nenhuma crise conseguiu derrubar seus lucros. Expandiu o escritório para a cidade de São Paulo, onde o nome da empresa ficou bem conhecido. Após dez anos de atividade, era o maior empresário do ramo, um homem respeitado nos meios religioso e laico.

Diante de todas essas histórias, percebi como não tinha fé. A questão, para mim, não era se devia seguir por águas profundas, mas se devia, pelo menos, pisar a ponta do pé no lago de Genesaré. Eu observava as barcas da margem, com pavor. Não queria subir em nenhuma delas, muito menos ir para o fundo.

Não que fosse uma mulher medrosa. Desde pequena, mostrara minha coragem por diversas vezes. Meu problema era ser descrente. O Mestre, entretanto, me chamava de uma das barcas. Era como se

Ele me perguntasse: "Gabriela, você quer a cura? O que você tem a perder?" A cada batida do coração, eu ouvia esse chamado dentro de mim.

Por algum motivo, parecia que o destino me punha frente a frente com pessoas que tinham mudado o rumo de suas vidas por causas sobrenaturais. Isso devia significar algo, eu só não sabia o quê. Por via das dúvidas, como o preço era razoável, decidi seguir com o próximo grupo peregrino de Miguel para a Europa.

CAPÍTULO XII

Bénezet

Na parte da tarde, estávamos todos reunidos no hall do hotel, aguardando a chegada de Miguel e do diretor espiritual para nos dirigirmos outra vez ao Santuário. Participaríamos da via-sacra e, depois, teríamos tempo livre por lá.

Desde o início da viagem, depois que estivera na Medalha Milagrosa, em Paris, minhas dores de cabeça diminuíram de intensidade. Não sabia se era alguma espécie de melhora ou simplesmente do quadro normal do câncer. No fundo, tinha esperanças de que estivesse melhorando. Pensava ser uma mulher racional e realista. Aquele sentimento constante no meu coração, a ponta inegável de esperança na cura de algo incurável, era a prova de que eu me enganara.

De repente, alguém abordou o assunto da busca por milagres em peregrinações. Ana, então, perguntou a Teresa se ela já tivera alguma experiência com coisas sobrenaturais.

– Quando meu marido era vivo – começou Teresa –, fomos a Avignon, cidade situada na região da Provence, famosa pela Pont D'Avignon e pelo Palácio dos Papas, que lá viveram por mais de sessenta anos, fugidos de Roma. É encantadora, com uma muralha medieval cercando toda a área histórica.

As pessoas se aproximaram para ouvir melhor.

– A ponte sobre o rio Ródano havia sido levantada por um jovem, filho de pastores de Savoia, que ouvira tal determinação de Deus. Seu nome era Bénezet... Bento, em português. – Ela sorriu para mim. – Segundo a lenda, o rapaz conseguiu realizar sua missão por meio de milagres. O bispo de Avignon, que no início não acreditava na possibilidade da construção da ponte, depois até lhe concedeu ajuda para a realização do projeto. Bénezet, entretanto, morreu durante a obra.

Formou-se um burburinho por causa do suposto final infeliz do rapaz.

– Ele foi enterrado numa capela sobre o terceiro arco da ponte. Chama-se Capela dos Milagres. Bento se tornou o santo patrono de Avignon. Depois de quase quinhentos anos, seus restos mortais foram removidos da capela e estão na Igreja de Saint Didier, na mesma cidade.

Teresa fez uma pausa para ver se alguém contestava alguma coisa. O silêncio voltou a imperar.

– Na época, minha sogra tinha um câncer de mama. Não era uma pessoa religiosa, mas, diante do medo da morte, pediu-me que, durante minha estada na França, fizesse orações em locais santos pela sua cura, pois sabia que o país contava com muitas relíquias. – Ela olhou novamente para mim. – Como era uma pessoa muito boa, decidi que iria interceder em seu favor. Afinal, somos todos filhos do mesmo Pai!

Todas as mulheres deram uma risadinha.

– Quando cheguei à ponte com meu marido, tiramos algumas fotos, como qualquer turista, mas disse a ele que precisava ir até a Capela dos Milagres, no andar de baixo, para pedir a intercessão de Bénezet pela sua mãe. Ele achou muito estranho, mas topou.

Uma das mulheres comentou que os homens são muito incrédulos, então Teresa continuou:

– Fizemos uma pequena oração à Virgem. Emendamos com um pedido a Bénezet pela mãe do meu marido. Abri os olhos, encarando o altar de pedra da capelinha e pensei que poderia ter trazido flores para depositar lá, em honra do santo.

– Teresa, para que as flores? Você queria deixar uma oferenda ao santo? – perguntei, e o grupo caiu na gargalhada.

Tinha dito alguma bobagem, com certeza... Porém, ela logo respondeu, serena:

– Não, querida. Eu tive tanta certeza de que Bénezet havia escutado minha oração que queria deixar uma lembrança, um agradecimento por ter sido tão bem recebida na ponte por ele. Um gesto simples.

– Mas você tinha acabado de estar ali. Não havia nenhum milagre para sua sogra! Pelo menos naquela hora você não tinha como saber.

– Gabriela, depois de muito tempo no caminho da espiritualidade, a pessoa passa a reconhecer os sinais de Deus. Desde minha adolescência participo dos grupos de oração e frequento a igreja. Sempre tive uma rotina diária de oração, de intimidade com Deus e minha Mãe Santíssima. A mesma coisa com meus santos de devoção.

– Como saber que o santo está escutando sua oração? – indaguei, curiosa, já pensando que se tratava de alguma disfunção da mente.

– Não é nada na cabeça da gente. É dentro do peito, como um sentimento que pulsa forte. Algumas pessoas têm a sorte de ouvir uma voz interna. Veja bem: não é na cabeça, mas no centro, no plexo solar, entende?

Teresa me olhava fixamente, como que trespassando meus olhos.

– Não, não consigo compreender o que você está dizendo. Mas se fossem vozes na cabeça ou coisa parecida, diria que era caso psiquiátrico! – comentei bem-humorada, apesar de, no fundo, dizer o que realmente achava daquilo tudo.

– Pedi ao meu marido que fizéssemos uma oração final pela mãe dele. Assim que terminamos, entrou na Capela dos Milagres uma mulher jovem com uma criança, trazendo flores. Quando percebeu que estávamos em oração, entregou algumas ao filho e ele as ofereceu a mim, com um sorriso.

Todos que escutavam soltaram exclamações admiradas com a coincidência.

– Não há coincidências para quem crê em Deus. Bénezet não só tinha escutado minha oração como decidiu aceitar meu agradecimento. Facilitou as coisas com a presença daquela mulher e do menininho. – Ela sorriu para o grupo e continuou: – Aquilo confirmou, no meu coração, o que eu estava sentindo naquele dia: minha sogra seria curada pela intercessão do santo. Quando chegássemos ao Brasil, encontraríamos uma reviravolta em seu diagnóstico.

– Ela ficou boa mesmo? – perguntou Ana.

– Três meses depois de voltarmos ao país, um exame sacramentou o que eu tinha sentido durante a oração na Ponte de Avignon: ela estava curada, sim.

As pessoas começaram a falar todas ao mesmo tempo, principalmente dizendo como era importante ter fé. Eu fiquei quieta. Não sabia se acreditava naquilo. Mas o coração me escoiceava o peito.

– Sabem que nossa Mãe Santíssima é tão poderosa que, lá naquela cidade, há uma imagem dela que se chama Nossa Senhora de Todo Poder? Quem me contou isso foi a mulher que me ofereceu as flores. Ela percebeu que eu usava um pingente com a Medalha Milagrosa e, simpática, me contou a respeito da imagem.

Ninguém do grupo conhecia também, mas se encantaram com o nome.

– Fiquei intrigada com o título que os franceses dali deram a Nossa Senhora e fui procurar a imagem. Encontrei um grupo simpático de freiras, em frente ao Palácio dos Papas. Começamos a conversar e falei que eu e meu marido éramos do Brasil. Perguntei sobre Nossa Senhora de Todo Poder, questionando de onde viera o nome. Uma das freiras disse que não sabia a origem, mas que a imagem de Nossa Senhora de Todo Poder se situava no interior da Catedral de Notre-Dame, bem ao lado do Palácio dos Papas. Caminhamos diretamente para lá. De fato havia, no interior da catedral, uma imagem extremamente interessante de uma mulher segurando um cetro sobre o mundo. Uma obra de arte bela e original, como eu nunca havia visto!

Marta, outra senhora do grupo, pediu para ver uma foto. Teresa respondeu que não tinha nenhuma, mas talvez na internet fosse possível vê-la.

– Ajoelhei-me diante da imagem para pedir outra vez pela minha sogra. Meu marido foi caminhando por dentro da catedral, olhando a arquitetura, as imagens, capelas, enfim, com interesse histórico somente. Quando saí de lá, olhei com bastante calma para uma imagem dourada, gigante, sobre toda a Place du Valais. Estava no ponto mais alto da praça. Uma mulher vestida de sol. Sob os pés, o globo terrestre. Na cabeça, uma coroa de doze estrelas. A mão esquerda imposta sobre os que passam abaixo. A mão direita projetando os dedos indicador e médio, num sinal de poder.

Enquanto ela falava, comecei a achar que não era por acaso que minhas dores de cabeça haviam diminuído. Talvez a presença sobrenatural de Nossa Senhora fosse mesmo algo verídico e influenciava o meio e as pessoas. Meu coração queria sentir todo aquele poder da Mãe Celeste.

Uma coisa também me chamara muito a atenção: numa religião extremamente machista, as imagens de todas as épocas retratavam Maria Santíssima de forma majestosa e imponente. Parecia unânime a opinião, dentro da Igreja Católica, de que ela era uma mulher bela e poderosa!

Sentia saudades da casa da minha mãe, com a pequena imagem de Nossa Senhora de Lourdes. Por que havia tantas imagens a rodear os católicos? Antes de viajar, fizera essa pergunta ao padre José, que respondeu de modo simples:

– Gabriela, quando uma pessoa ama muito sua mãe, ela enfeita a casa com fotos dela?

– Sim. Isso é muito comum no mundo ocidental. Os seres humanos, até mesmo para matar a saudade dos pais, colocam fotos deles pela casa.

– Nós, católicos, acreditamos que a Virgem Maria é nossa Mãe! Temos, então, várias imagens dela pelas igrejas, praças, casas, dentro das nossas carteiras, penduradas no pescoço e em tantos outros lugares – Ele abriu a carteira e mostrou uma bela imagem de Nossa Senhora da Imaculada Conceição. – Gabriela, se você fosse escolher uma foto da sua mãe para colocar na estante de casa, gostaria que ela tivesse suas qualidades realçadas ou pegaria uma em que ela estivesse de olhos fechados, descabelada, roupas amassadas? – perguntou, rindo.

– Ora, José, você sabe bem a resposta! A foto teria que ser a melhor possível.

– Também acho. As imagens e os quadros de Nossa Senhora são obras de arte, para que retratem Nossa Mãe da melhor forma possível, realçando suas qualidades, entendeu?

– Se elas realçam suas qualidades, é ponto pacífico, então, que é uma mulher iluminada, cheia de poder e de milagres pelos quais interceder? – perguntei sem nenhum gracejo, desejando que isso fosse real.

– Segundo nossa tradição, quando Jesus estava pendurado na cruz, aos seus pés encontravam-se algumas mulheres e o apóstolo João. Uma delas era a Mãe do Redentor. O Mestre, vendo-a, e também seu discípulo amado, disse ao rapaz que tomasse conta dela e a levasse para sua casa. Para sua Mãe, determinou a acolhida do jovem como se fora seu filho. Percebe o que aconteceu à humanidade naquela hora? – Seus olhos brilhavam.

– Além do que está dito, não.

Fiquei em silêncio, aguardando o final do raciocínio.

– Pela determinação de Jesus, fomos adotados por Maria como seus filhos. Toda a humanidade é representada em João. Pelo mesmo motivo, podemos tê-la para sempre em nossas casas. Podemos chamá-la de Mãe! Somos crianças protegidas e cuidadas por ela. – O padre parecia emocionado com o discurso.

Na dificuldade em que me encontrava, com as dores que me martelavam o crânio dia a dia, aquela doutrina não parecia fantasiosa.

Muito pelo contrário, eu precisava que aquela Senhora, poderosa e generosa, me adotasse como sua filha. Era literalmente uma questão de vida ou morte!

– Seja sincero comigo: se uma pessoa não tem certeza, ou melhor, até mesmo duvida de que Maria seja sua Mãe por determinação do Cristo, ela não a socorrerá? – questionei, preocupada.

Precisava muito daquele tipo de fé e não era algo fácil de assumir: uma mulher poderosa que, mesmo morta há séculos, continua a transitar pelo mundo, cuidando dos filhos que Jesus lhe confiou.

– Claro que não! Gabriela, mesmo que você fosse ateia, eu teria lhe dito que Maria é sua mãe. Ela nunca desiste dos filhos que Deus lhe entregou. Pouco importa se você está distante dela, ela vai dar um jeito de buscar você e ficar junto. Basta que você tenha um pequeno pensamento para ela, um brevíssimo olhar, enfim, que permita que as mãos delicadas dela toquem você – falou o padre com uma firmeza impressionante, meditando sobre cada palavra dita.

Ao ouvir Teresa, no hotel de Lourdes, tive certeza de que milhares de pessoas tinham a mesma crença. Não por pertencer a um grupo religioso, mas por acreditar, com todas as forças, que Maria tinha um poder especial e estava disposta a usá-lo em favor dos necessitados ao redor da Terra.

Naquele grupo, eu provavelmente era a única que tinha dúvidas a respeito dos milagres e do poder de Nossa Senhora. Meus pensamentos foram interrompidos por Miguel:

– Depois do nosso ótimo almoço, vamos fazer hoje a nossa primeira via-sacra. O padre Carlos vai conduzir as orações em cada estação. Quem estiver cansado não precisa ir. Olha, o percurso acontece em um pequeno morro, um aclive. Mas é belíssimo, porque as imagens são de bronze e em tamanho natural, tendo a vegetação exuberante ao fundo.

Ele começou a contar quantas pessoas do grupo estavam no hall.

Eu nunca tinha ouvido falar dessa devoção: via-sacra. Que se tratava de um exercício espiritual, eu podia perceber com facilidade.

Além disso, as dores na cabeça me impeliam a participar de qualquer coisa que pudesse, mesmo que de forma ínfima, levar-me ao contato com Deus.

Dei dois passos para a esquerda até ficar quase ombro a ombro com Ana. Enquanto as pessoas falavam alegremente e se preparavam para deixar o hotel rumo ao santuário, perguntei bem baixinho, e um pouco envergonhada, o que exatamente iríamos fazer naquela tarde.

Com um doce sorriso, ela me informou que era uma caminhada por um belo bosque à esquerda do Santuário de Lourdes. Lá, encontraríamos algumas imagens da Paixão de Cristo. Nesse caminho, meditaríamos sobre os acontecimentos que levaram à execução do Mestre, colocando as nossas intenções de oração.

Enquanto andávamos pela rua, Ana disse que cada cena da vida de Cristo, representada por uma escultura, tinha o nome de "estação". Eram, ao todo, quinze. A última se referia à ressurreição. Pensei que seria uma boa oportunidade para mim. Pelo que tinha aprendido, a história revelava que, apesar de todo o sofrimento, inclusive a morte na cruz, o Senhor havia vencido no final. Precisava muito sentir algo diferente no meu coração: esperança de vitória.

Chegamos ao pé de um pequeno morro. Como falara Miguel, a floresta temperada era um espetáculo à parte. A chuva fina cessou e o céu ficou claro. O sol se posicionava à nossa direita, retirando-se para seu descanso. A claridade, contudo, era excelente. No mínimo poderia classificar a Via-Sacra de Lourdes como um belíssimo passeio por um bosque maravilhoso com obras de arte.

Caminhávamos em grupo entoando uma canção religiosa. Parávamos em frente às esculturas, sucediam-se uma oração e uma reflexão, então prosseguíamos. Apesar da subida, ninguém deu sinais de cansaço. Percebia, ao contrário, a alegria nos rostos que me cercavam.

Quando paramos para meditar a quarta estação, onde Jesus encontra sua Mãe Santíssima no caminho do Calvário, meus olhos se encheram de lágrimas. Tentei segurar ao máximo, mas não deu. Imaginei logo a dor de uma mãe ao ver um filho tão especial sendo injustiçado daquele jeito e humilhado.

Lembrei-me de todas as dores e sofrimentos passados por meu pai, preso a uma cama durante meses. Tentando manter o bom humor sem demonstrar que estava morrendo. A forma heroica com que ele enfrentara seu fim, dizendo que merecia aquilo e, portanto, não fazia sentido reclamar.

A figura da minha mãe nos últimos dias na cama do hospital também se fazia presente. O modo como ela se apegava à religião que havia abandonado durante seus anos de juventude. A punhalada no peito que fora a perda do marido, que ela amava ao seu jeito. A forma como encontrara um verdadeiro amigo no padre José bem na hora de se despedir da Terra.

Enxuguei meus olhos discretamente com um lencinho. Não queria parecer uma pessoa fragilizada perto de um grupo tão alegre. Ninguém, entretanto, parecia se preocupar se eu estava a chorar. Olhei com calma para os olhos da imagem da Virgem.

Fiz uma breve oração. Pedi que, apesar da minha falta de fé e distanciamento da Igreja, ela viesse ao meu encontro naquele caminho tão complicado da minha vida. Precisava dela mais do que nunca. Tinha muito medo de morrer do câncer que havia invadido meu cérebro. Aliás, a parte do meu corpo que mais prezava.

Assim que abri os olhos e mirei a escultura que a representava, vi uma lágrima a escorrer do seu rosto! Esfreguei os olhos e foquei, com toda a atenção possível, na imagem. Lá estava o rastro da lágrima da Mãe de Deus descendo pela sua face esquerda.

Eu devia estar delirando. Talvez fosse meu estado de ansiedade, pensei como uma desculpa. Poderia ter intensificado minhas emoções de tal forma que me provocara uma alucinação. A mão de alguém no meu ombro livrou-me dos pensamentos.

– Olha, não quero ser ridícula, mas você está vendo uma única lágrima escorrendo pela face esquerda de Nossa Senhora aí nessa estátua? – Era Ana, falando bem baixinho comigo.

– Sério?

Não sabia o que responder.

– Olhe com calma. Veja que há até a linha molhada passando pela bochecha até o queixo da imagem. – Ela estava bem tranquila e falava com firmeza.

– Verdade... Meu Deus!

Eu estava perturbada. Uma imagem de bronze acabara de derramar uma lágrima bem na minha frente! Será que fora pela oração que eu tinha acabado de fazer?

Miguel convocou o grupo a seguir adiante. Ana parecia levar o acontecido com grande paz; apenas ficou mais concentrada ainda em suas orações.

Meu coração, de improviso, gritou para mim: "A lágrima pode ser um sinal!" A Mãe de Jesus estava de olho em mim. Talvez quisesse realmente me ajudar, me curar. Mas, após 100 metros de caminhada, veio a dúvida à minha mente: será que a lágrima da Virgem não significava que eu estava perto do fim?

Ao término, fomos liberados por Miguel para um tempo livre, pois o jantar seria somente às sete da noite. Por volta das nove, haveria a procissão das velas no santuário, com a oração do terço. Todo mundo comemorou; parecia ser um belo evento muito esperado.

Passei todo o jantar preocupada com o que eu vira no bosque. Primeiro, não sabia se tinha delirado. Depois, analisando com calma, percebi que estava próxima da estátua de Maria Santíssima, sem contar a observação que fizera Ana. Ao final, concluí que Maria Santíssima estava provavelmente chorando.

Grande problema era saber por que: pela minha morte ou minha cura? Quanta confusão na minha cabeça! Percebi que Deus gostava mesmo de nos dar sinais, mas eles eram passíveis de interpretação. Não era fácil entender a mensagem do Criador.

Debaixo de um céu estrelado e uma bela lua cheia, após o jantar no hotel, nos dirigimos para o santuário novamente. Todo o grupo estava ansioso por participar do terço e da procissão com a imagem da Virgem de Lourdes no andor. Promessa de mais um visual exuberante, o que alegrava a todos.

Quando atingimos o pátio onde se dá a reunião dos fiéis para a oração, de onde parte a procissão, olhei para cima. As estrelas me fitaram. Fechando os olhos, suspirei. Quando os abri, tive a nítida impressão de que a lua havia trocado de lado com algumas estrelas no firmamento.

Era noite, e o dia havia sido de intensas emoções. Eu estava muito preocupada com minha provável morte. Pestanejei e me perguntei: estava alucinando? Ocorreu-me que poderia ser algum efeito causado pelo tumor. Enquanto esse pensamento chispava pela minha mente, Márcia, uma mulher do grupo mais ou menos da minha idade, se virou para mim, assustada, e perguntou com os olhos esbugalhados:

– Nossa, você viu o céu?

Absolutamente confusa, desconfiada de que a mulher tivesse visto a mesma coisa que eu, retruquei:

– Como assim? Do que você está falando, Márcia?

– Da lua! Meu Deus, ela estava bem ali, agora trocou de lugar com aquele grupo de estrelas. Tenho certeza, porque sou do interior de São Paulo e adoro observar os céus.

Ela sorriu, tapando a boca com as mãos.

Diante da certeza da mulher, apenas assenti. Não deu para me segurar. Eu estava muito sensível e tinha presenciado o mesmo. Meus olhos marejados me entregaram. Ela me abraçou e exclamou:

– Quanto privilégio da nossa parte! Será que todos viram? Somos especiais aos olhos de Maria. Deve ser um sinal de Nossa Senhora. Eu vim aqui pedir graças. Acho que você também. É... Sinto isso claramente no meu coração. Vai ver ela nos atendeu e quis que soubéssemos disso!

Juntas, as duas derramávamos lágrimas. Não tive voz para falar mais nada. Estava lutando para pôr a cabeça no lugar. A mente dizia que tudo não passava de algum tipo de coincidência, além de um pouco de delírio causado pela ansiedade e pelo tumor. Meu coração, por sua vez, batia alegre no peito, como que comemorando um gol do Fluminense!

Interrompendo toda a conversa, o terço começou, rezado em diversas línguas, ecoando pelos alto-falantes do santuário. Uma multidão se aglomerava no local de partida da procissão, com uma linda imagem da Virgem à frente. Todos tinham suas velas acesas. Um verdadeiro espetáculo.

Começamos a andar, cantando a Ave-Maria, rezando e meditando os mistérios do terço. O coração me pedia coragem; a mente, prudência. Eu estava muito confusa, bastante perdida. Pior: o temor por minha vida não saía dos pensamentos.

Ao final de tudo, voltei para o quarto do hotel. Fiquei rolando na cama por duas horas. Uma verdadeira batalha entre o coração e a mente acontecia. Eu, como mediadora, não tomava nenhum partido, nenhuma decisão. Até que, exausta, peguei no sono e dormi direto.

CAPÍTULO XIII

Antônio

Já de manhã, enquanto ainda dormia, escutei a voz de frei Antônio. Parecia dizer que tudo ficaria bem e que estivera no santuário rezando por mim durante a noite. Despertei do estado de sonolência e abri os olhos procurando pelo sacerdote. Não havia ninguém no quarto. Eu estava debaixo das cobertas, de porta trancada e cortinas fechadas. O relógio indicava oito horas e vinte minutos, horário de Lourdes.

Por alguns segundos fiquei na dúvida se sonhara com meu paciente ou se, por algum de seus dons esquisitos, ele de fato estivera ao meu lado e me dera um recado. Sentei-me na cama e respirei fundo. Liguei a televisão para tentar me desviar dos pensamentos insistentes a respeito do sobrenatural, mas minha mente continuou no Brasil, em frei Antônio. Voltei rapidamente até o momento em que ele entrou na minha vida. Seu problema era a depressão. Nas sessões iniciais, pouco produtivas, havia conseguido que ele me contasse como eram suas noites. Ficava sem dormir, sentindo uma angústia muito forte.

Quando o sol começava a se aproximar, ele se ajoelhava no quarto e rezava um rosário inteiro em busca de paz e equilíbrio para dar início aos trabalhos do dia. Tomava banho, fazia a barba e colocava a roupa. Olhava para o espelho até que um sorriso viesse aos lábios. Aí, então, descia as escadas até o refeitório para encontrar os demais companheiros.

Às sete horas em ponto, participava das orações com os sacerdotes da comunidade onde morava. Depois desse momento, a opressão melhorava um pouco mais. Saía dali para receber, na porta da igreja, os fiéis que chegavam para a primeira missa do dia. Não conseguia terminá-la em menos de uma hora.

Ao acabar, subia ao quarto e trocava de roupa. Colocava bermuda e camiseta, calçava tênis de corrida e saía pelas ruas do bairro. De boné, óculos escuros e filtro solar, percorria 10 quilômetros em ritmo acelerado. Voltava para casa perto da hora do almoço. Outro banho se seguia. Voltava a vestir a roupa sacerdotal e trabalhava até anoitecer nas tarefas administrativas da paróquia, auxiliando padre José.

Encerrava o dia com a oração coletiva dos sacerdotes e o jantar. A partir daí, caía por terra a máscara que precisava usar para lidar com as diversas situações do cotidiano. Era só o Antônio, do peito apertado e do nó na garganta, com todo o sofrimento que vinha do fundo do coração. Por que sofria?

Durante as sessões comigo, percebi que ele tinha fé verdadeira naquilo que professava. Isso despertou em mim um sentimento estranho. Como um homem que tinha a religião por profissão e acreditava que o poder de Deus podia solucionar todas as questões do mundo não conseguia curar seu coração?

Mais ainda: um homem tido pelos paroquianos como um santo que fazia coisas extraordinárias. Não podia me esquecer da história do seu desaparecimento na frente de um bom número de pessoas. Não se curava por quê? Imaginava que ele tivesse buscado soluções internas. Por que não funcionaram? Precisava mesmo recorrer à psicanálise?

O insucesso não o levou, por si só, a procurar ajuda. Foi preciso que José interferisse. Ficou nítido que o frade desistira de tudo o mais, do contrário jamais teria aceitado a sugestão do outro padre.

Com toda a dificuldade que enfrentava, conseguia conduzir com bastante competência sua vida profissional – pode-se dizer assim. Refugiava-se atrás da máscara que usava para encarar o mundo e seguia adiante. Por que buscara a ajuda de uma mulher leiga?

Acho que em nosso sexto encontro, ao se sentar à minha frente para começar a sessão, ele se pôs a falar antes que eu lhe desse qualquer comando:

– No capítulo 23 do seu Evangelho, São Lucas conta que, durante a crucificação do Senhor, os chefes do povo escarneciam dele dizendo: "A outros ele salvou. Que salve a si mesmo, se é de fato o Messias de Deus, o Escolhido!"

Ele abriu um largo sorriso.

– Antônio, não entendi. O que significa isso? Quer começar falando do significado das parábolas em sua vida? – perguntei, ganhando tempo para verificar do que se tratava aquilo.

– Parábolas? Não. Só disse algo que serve para sua vida e que, para mim, tem um grande significado.

O sorriso continuava em seu rosto. Fiz silêncio e o avaliei. Respirei fundo e entrei decidida na questão:

– Você acha que eu escarneço da sua situação? Talvez da sua religião? Ou é o mundo que o faz?

Comprimi os olhos, tentando buscar um significado naquilo e uma porta para seguir com o tratamento dele.

– Na verdade não há questionamento algum da minha parte. As parábolas são o meu "pão com manteiga", meu dia a dia! Não lhe contei nenhuma parábola. Então você é quem deve se perguntar.

Ele se reclinou na poltrona, com ar misterioso.

– Se quer me dizer alguma coisa, faça-o de modo direto. Não desperdice seu tempo ou o meu. Fale um português claro, por favor.

Olhei-o com firmeza, aguardando que me desse, enfim, a resposta.

– Gabriela, se sou o que dizem que sou, por que não consigo sair deste estado de ânimo? Ora, posso lhe dizer que é uma das perguntas mais antigas que existem. Até o Mestre foi questionado desse modo quando estava na cruz! Não há nenhuma parábola, só a narrativa do que aconteceu, segundo São Lucas, naquela hora de dor de Jesus.

Eu estava um pouco impressionada, embora não transparecesse. Ele lera meus pensamentos. Pior, sabia exatamente o que eu pensava da situação dele. Talvez não fosse nada paranormal, apenas uma capacidade de captar os detalhes das conversas com os outros. Era óbvia sua inteligência. Tratava-se, além disso, de um homem de excelente educação, como padre José havia me contado.

Resolvi não disfarçar. Pela primeira vez ele decidira, ao seu modo enigmático, falar sobre seu coração. Não fazia sentido fingir que não havia pensado exatamente aquilo. Eu corria o risco de perder a confiança do meu paciente.

– Tem toda a razão. Para mim, é um pouco curioso que um homem de fé se encontre em um estado de espírito tal que precise de ajuda para vencê-lo. Não deveria julgar suas emoções, apenas fazer com que supere esse sofrimento, compreendendo melhor o que se passa.

Aguardei um momento para ver se ele estava satisfeito com a minha aparente derrota. Nada. Não disse uma palavra e continuou me olhando, desconfiado.

– As pessoas não devem julgar as outras. Isso é um ranço da humanidade. Preconceitos que as pessoas têm, segundo a própria ótica. Me incluo no grupo; perdão por isso!

Ele deu um sorriso débil mas gentil. Percebi que atingira o ponto esperado por ele. Parecia ter gostado em especial do meu pedido de perdão. Valera como uma confissão. Ganhei meu paciente.

– Aproveitando o Evangelho que me contou, acredito que foi uma grande covardia daqueles homens, os chefes do povo, no momento da crucificação. Só começaram a afrontar Jesus depois de perceberem que Ele não tomaria nenhuma providência contra ninguém. É muito fácil humilhar alguém naquele estado.

– Isso é muito bom de ouvir! Alegra meu coração! – Antônio deu uma risada feliz.

– O que é bom? O que disse antes ou meu comentário sobre Jesus crucificado?

– Saber que você vê limites nos seres humanos. Saber que enxerga a fraqueza humana. Saber que entende que lutei muito para sair do estado em que me encontro e não consegui. Estar aqui, num consultório como este, não me leve a mal, mas é uma humilhação para um homem que tem fé.

Seus olhos ficaram tristes. O coração, todavia, estava completamente aberto para minha leitura.

– Antônio, só se sente humilhado quem acredita que é superior aos outros, nas mais diversas situações. Você, ao contrário, tem se revelado um homem humilde. Será que é vaidoso e eu me enganei?

– Vaidoso, sem dúvida. Tenho uma tremenda vaidade espiritual!

Olhou-me com seriedade, aparentando estar mais relaxado na poltrona.

– Conceito interessante: "vaidade espiritual". Será que posso ouvir alguma definição sua sobre isso?

Meu coração se encheu de alegria: finalmente eu encontrara uma porta aberta por ele.

– Significa que tenho tanta facilidade com as coisas espirituais que penso ser superior aos demais nessa área. Além disso, procuro fazer tudo com absoluto detalhismo e esmero para que não haja nenhuma falha em nada, porque quero ser o melhor de todos os irmãos para meu Pai do Céu.

Antônio desviou os olhos, parecendo envergonhado.

– Muita gente leva um bom tempo para reconhecer e admitir seus defeitos. Parece que você preferiu uma abordagem mais direta consigo mesmo.

– Gostaria de ser santo, mas estou muito longe disso.

Havia muita sinceridade em sua voz. Difícil compreender como um homem adorado, praticamente um ícone da fé daquela gente que frequentava sua igreja, se via como um reles mortal pecador.

– Vou lhe contar por que resolvi aceitar o convite do meu irmão José – acrescentou o padre.

Ele engoliu em seco e sentou-se ereto, com os olhos fixos em mim.

– Padre José é um homem muito inteligente. Isso você já deve saber, pois o conhece. É também dotado de uma sensibilidade diferenciada. Não digo que seja algo intuitivo, mas é fato que, em algumas situações, só observando pessoas, ele tem um diagnóstico preciso do que se passa na alma delas – comentou, dando um sorrisinho.

– Então você nunca disse a ele o que se passava no seu quarto, nas noites doloridas do coração? – perguntei, para dar sequência ao discurso. Já sabia a resposta.

– Ele me procurou um dia após o jantar, depois que os outros sacerdotes já haviam se recolhido aos seus quartos. Falou que eu estava com algum tipo de sofrimento da alma. Alguma coisa teria me acontecido e me deixado abatido. Não respondi nada. Fiquei muito triste. Eu tentava disfarçar o máximo possível o que se passava em mim. Pensava que estava tendo um sucesso absoluto. Foi um balde de água fria! – Ele deu uma risada de tristeza. – Na manhã seguinte, encontrei-o ao descer as escadas para o refeitório. Toquei em seu ombro e contei que minha alma estava muito infeliz. Não queria dizer as causas, mas realmente havia um enorme sofrimento dentro de mim. Ele perguntou se podia me ajudar. Respondi que só Deus podia. Que uma hora Ele iria me socorrer...

– Parece que José não quis esperar por Deus! – falei em um tom mais alegre.

– Ele bateu à minha porta na noite seguinte e pediu para conversarmos. Entrou e disse que conhecia uma mulher de coração puro, que sofria uma crise de fé, mas era ótima para a situação que eu vivia.

Não deixei transparecer o incômodo que aquela afirmação me causara. Ele continuou:

– Falou que ela era psicóloga e poderia me ajudar. Respondi que não acreditava naquela besteira. O único psicólogo com quem me trataria seria Jesus. Ele riu e disse que eu era bastante orgulhoso. Não queria aceitar ajuda de outro ser humano. Julgava-me superior a todos. Terminou dizendo que o meu pecado era sério: vaidade! – concluiu, olhando para o chão, envergonhado.

– Você ficou ofendido com o que José disse? – perguntei em voz baixa.

– Não. Minha ficha caiu na hora. Era tudo verdade! Peguei minha Bíblia e disse para José que buscaria uma confirmação em suas páginas a respeito do tratamento. Pedi que ele rezasse uma Ave-Maria comigo. Ao terminarmos, abri aleatoriamente a Bíblia. Então, onde meus olhos pousaram, li a passagem em voz alta.

Relaxou na poltrona, escorregando um pouco mais para baixo.

– Você lembra qual era? O que ela dizia?

Não podia deixar transparecer minha curiosidade. Seria aquilo mais um elemento paranormal?

– Exatamente o que eu lhe disse assim que me sentei nesta poltrona hoje: os chefes questionando a capacidade e o poder de Jesus na sua crucifixão! Então, Gabriela, o que valeu muito para mim acho que valerá muito para você, não somente para o dia de hoje

Um sorriso de vitória era inconfundível em seus lábios e fez-se um breve momento de silêncio. Então, ele acrescentou:

– Naquele momento na cruz, Jesus era um homem. Deus se fez homem nele. A vontade de Deus precisava ser cumprida. Era a missão de Jesus. Mas como era também humano, Ele se sentiu impotente diante daquela barbaridade. Estava ali, entregue... Não tinha permissão do Pai para descer da cruz e arrebentar com os chefes e os outros malfeitores, entende?

– Muito interessante! Eu não imaginava... Jesus, até onde sabia, era uma divindade. Não passou pela minha cabeça que Ele precisasse da permissão de alguém para fazer qualquer coisa. O que mais? – indaguei, gesticulando para que ele prosseguisse.

– Como se fez homem, assumindo a missão de salvar a humanidade, precisava da permissão do Pai. Ele não podia, diante da própria dor, salvar a si mesmo e se esquecer do resto. Não podia simplesmente voltar pra casa.

– Entendo... Não tinha permissão do Pai Celeste. O sofrimento e o sacrifício eram absolutamente necessários para chegar ao sucesso. A oração do Pai-Nosso, não é, Antônio? – emendei.

– Claro que sim. De qual parte estamos falando aqui? "Venha a nós o vosso Reino, seja feita a vossa vontade"... – falou, todo sorridente, erguendo as mãos em concha em frente ao peito como se rezasse.
– Aquele que é realmente um homem de Deus, que vem a este planeta para cumprir sua missão, não obedece aos próprios desígnios. Só realiza aquilo que lhe é permitido pelo Pai. Meu Senhor era assim. Eu também devo ser assim. Quero ser uma imitação de Cristo. É o único objetivo que tenho na vida.

Ele repousou as mãos no colo.

– Aparenta ser uma espécie de escravidão. O que você acha? – perguntei com delicadeza.

– A escravidão é só na aparência. Não há nada disso. Entreguei minha vida a Cristo. Minha vontade foi manifestada dessa forma, livremente. Depositei tudo o que sou e o que possuo no colo do Pai Celestial. Assim, não reclamo em fazer a vontade dele. A vontade dele é a minha – respondeu com serenidade.

– É por isso que não conseguiu vencer sozinho o sofrimento do seu coração? Você acha que precisava passar por todo esse sofrimento para fazer a vontade divina?

– Não tenho outra explicação. Tentei com todas as forças. Todos os dias. Rezando muito, jejuando muito. Coloquei tudo o que havia no meu coração nas minhas intenções durante a missa. Implorei a ajuda de Nossa Senhora e dos meus santos franciscanos. Nada aconteceu... – disse, fechando os olhos.

Ele provavelmente estivera se preparando para um sofrimento físico, mas Deus lhe trouxera algo com o qual não estava acostumado a lidar: a dor da alma. Quando ela surgiu pesadamente em sua vida, não conseguiu superá-la sozinho. Precisava da ajuda de Deus.

O Criador, por sua vez, enviara uma mulher para socorrê-lo! Mais uma surpresa. No fim, Antônio acolhera tudo e aceitara esse caminho para encontrar sua cura.

– Gabriela, não sei se José fez de propósito. O fato de ser ajudado por uma mulher também não era algo confortável para mim. Deixe-me reformular a frase: não só por uma mulher, mas por qualquer um! Sempre pensei que, se precisasse de ajuda, Deus mesmo viria em meu socorro. Desta vez não aconteceu...

Seu olhar se desviou. Estava constrangido com seu preconceito.

– Tudo vaidade, Gabriela. Soberba – falou, balançando a cabeça.

– Antônio, a Virgem Maria era uma mulher e trouxe o Salvador ao mundo! Nenhum homem conseguiu tal feito, não é mesmo? – perguntei com tranquilidade.

– Foi o que repeti para mim no primeiro dia em que pisei na sua antessala. Parece que você tem algum dom do Espírito Santo, falou o que estava nos meus pensamentos – disse em tom de brincadeira, apesar da seriedade do que acabara de afirmar.

Por diversas vezes, durante as sessões, Antônio se referia à Virgem Maria e aos dons do Espírito Santo. As histórias que eu tinha ouvido na igreja a respeito daquele homem, e do que ele era capaz de fazer, me deixaram muito curiosa. Será que existiam dons especiais concedidos por Deus para que as pessoas os colocassem a serviço da comunidade? Não me parecia algo verídico. Apenas fantasias baseadas em crenças que não tinham qualquer comprovação científica.

Mais uma vez ele notou minha descrença sobre assuntos relacionados à sua fé. Abriu uma sessão me bombardeando com perguntas, mas com um olhar doce, calmo:

– Gabriela, você acredita na existência do amor? E da saudade?

Perguntas estranhas, pensei. Todo mundo sabe que ambos existem. Ele me pegou desprevenida. Não entendi logo de cara aonde ele queria chegar com essas indagações. De qualquer forma, para não deixar o silêncio imperar, respondi prontamente que sim.

Era o que ele estava esperando. Comentou a respeito de alguns assuntos do cotidiano que não podiam ser provados pela ciência, mas que eram acolhidos como absoluta verdade pela população em geral. O amor que sentimos pelos nossos familiares, por exemplo, era um deles!

Realmente não é possível traduzir de modo material o que é o amor. Não é possível isolá-lo em um laboratório e verificar se ele existe ou não. A mesma coisa se passa com o que chamamos de saudade. Lembro que o próprio frade me disse que esta palavra nem existia em alguns idiomas.

Diante da abertura que ele vinha me dando, resolvi partir para uma investigação mais profunda sobre sua vida mística. Era, eu acreditava, aquilo que ele mais prezava. Provavelmente o que o fazia sofrer estava escondido ali dentro.

– Você me garante que a Virgem Maria existe? – perguntei, com a mão no queixo.

– Tenho a mais absoluta certeza! Existe tanto quanto você aqui na minha frente. Um dia isso será uma certeza para você também.

Deu um sorriso confiante e retornou ao silêncio. Não estava disposto a falar sobre o assunto. Busquei outra possibilidade.

– Essa história de dons do Espírito Santo... Como é que uma pessoa pode recebê-los?

– Pelo batismo no Espírito. O batismo de fogo. Quando você nasceu, foi batizada na igreja, não foi? – respondeu, pendendo o corpo para a frente. Eu despertara seu interesse.

– Sim, fui. Mas não era com fogo, posso garantir – disse, rindo.

– Claro que não! Era água. Não é desse batismo que estou falando. O batismo de fogo se dá pela invocação do Espírito Santo, em uma oração.

– Quer dizer que um grupo de pessoas pede o tal batismo de fogo e o Espírito Santo desce e distribui os dons? – falei pausadamente.

– Mais ou menos. Na realidade o batismo pode acontecer para alguns do grupo que oram, e não para outros. Pode ser também que demore a acontecer para o grupo todo. Quem determina o "quando" e o "como" é o próprio Espírito Santo, a terceira pessoa da Santíssima Trindade.

– Então, pode ser que o grupo se encontre periodicamente para fazer orações desse gênero e nada aconteça, por meses a fio?

– Por anos a fio também!

– Pelo que está me dizendo, Antônio, Deus escolhe as pessoas que vão ter os dons. As pessoas se colocam à disposição, mas, no fim das contas, tudo depende da vontade dele.

– "Seja feita a vossa vontade", lembra? Já havíamos falado sobre isso. Aqui, a mesma coisa ocorre.

– Você é um escolhido por Deus?

– Todos nós somos. Eu no meu sacerdócio, você na sua psicologia. Todos nós temos talentos e os usamos para o bem. Estamos fazendo a vontade de Deus.

– Estava me referindo aos fenômenos paranormais narrados pelas senhoras da igreja ao padre José, durante uma missa de que participei.

– Tenha paciência, Gabriela! Fenômenos paranormais? Quanta bobagem! Ou estamos diante de dons do Espírito Santo ou é tudo encenação – falou em um tom que não havia usado antes no consultório.

– Quer dizer que estava encenando seu desaparecimento? Você é um grande mágico, como Houdini! – provoquei-o de novo.

– Que desaparecimento? Sempre estive no mesmo lugar, cumprindo rigorosamente meu ofício. Não sumi! Pergunte a José. Sempre que vou me ausentar lhe aviso com antecedência. Isso tudo só pode ser falácia de pessoas que não gostam de mim!

Antônio estava muito bravo. Eu não sabia se ele não havia entendido ou tentava se desviar do assunto.

– Óbvio que um homem disciplinado e educado como você não desaparece e abandona o posto sem dar notícias. Não estou falando desse tipo de desaparecimento. Falo de seu corpo físico sumir sem deixar vestígios, na frente de senhoras da igreja.

Cruzei os braços e fechei a cara.

– Depois eu é que sou o místico que acredita em lendas. Tenha paciência, Gabriela. Discutir comigo se eu desapareço? A única coisa de que sou culpado é de pedir a Deus, nos dias em que estou muito cansado e compromissado, que me faça invisível aos olhos daqueles que podem me atrapalhar. Se Ele faz ou não, pergunte ao próprio. Não vejo nenhuma diferença no meu corpo. Aliás, gostaria de encerrar a sessão de hoje mais cedo, estou me sentindo muito cansado. Desculpe meu mau humor, não tive um bom dia.

Levantou-se e, abençoando a sala, partiu.

CAPÍTULO XIV

Doença

Quando o neurologista prescreveu uma série de exames, percebi que o processo demoraria, pois não consegui agendá-los todos de pronto. Alguns eram bem complicados. O plano de saúde reclamara, porém, por fim, aceitara cobri-los. O problema era arrumar uma data próxima.

Enquanto isso, mantinha meu trabalho no consultório, engolindo a dor, aguardando a abordagem que seria dada ao problema pela medicina.

– Antônio, quero voltar aos dons do Espírito Santo. Os tais dons só existem em você ou outras pessoas também os possuem? – insisti no tema.

– Muitas outras pessoas têm os dons. Claro que não sou o único! Seria muita pretensão da minha parte – respondeu, abaixando-se para amarrar os sapatos.

– Para que todas essas pessoas com dons? Todas fazem as mesmas coisas? Elas ganham dinheiro com isso?

– Olha, Gabriela, não funciona do modo como você está pensando. No capítulo 12 da Primeira Carta aos Coríntios, São Paulo afirma que o corpo é um só, mas tem diversos membros. O Espírito Santo também é um, mas tem diversos carismas, que são distribuídos pelos filhos de Deus. Cada qual com sua missão.

– Então, os dons são diversos e cada pessoa da Igreja tem um ou alguns? Mas o mundo não mudou por conta disso. Aliás, até mudou, para pior! – provoquei.

– Se você acha que o mundo é ruim, com tantas pessoas dispostas a servir a Deus, imagine um mundo sem nada disso. Seria uma filial do inferno! – Ele deu uma risada.

– Se os dons são algo bom, por que não há uma propaganda na mídia ou na própria Igreja Católica sobre eles?

Para mim, a questão se apresentava como algo secreto ou exposto apenas para um pequeno número de iniciados.

– O ser humano quer controlar e usar todas as coisas em proveito próprio. Com os dons, não cabe esse tipo de conduta. Eles não têm a função de deleite pessoal. Não servem para o sujeito ganhar dinheiro, mas apenas para servir a Deus. Do contrário, a pessoa estará comprando sua passagem rumo ao inferno, para toda a eternidade! – falou o padre de forma intensa.

– Será que a própria Igreja Católica vê a questão com certa desconfiança? Não quer que os possuidores dos dons apareçam muito, estou certa?

– As coisas desconhecidas causam certo medo a qualquer um. É natural. A Igreja trata do tema com cuidado. Além disso, há muitos charlatães por aí querendo lucrar em cima dos crentes. Por isso tudo caminha mais devagar no Vaticano. Não entendo isso como um preconceito ou discriminação com os que possuem os dons. Nunca me fizeram mal por conta... – Ele parou de repente no meio da frase.

– Você tem todos os dons ou alguns deles? – perguntei, diante da confissão.

– Boa parte deles, pela graça de Deus, meu Pai Eterno – respondeu, um pouco contrariado.

– Qual a razão de você tê-los e eu não? – indaguei, após um breve instante de silêncio.

– Em primeiro lugar, você pensa que não tem nenhum tipo de dom. Acho que está errada. Seus olhos já viram algo privilegiado, que seu cérebro renega e mantém adormecido

Senti um frio na espinha.

– Mas tudo tem seu tempo. Comigo e com você. Voltando à questão dos dons, senão você não vai me deixar em paz. Uma pessoa pode ter alguns dons ou até mesmo todos. Tudo depende da vontade de Deus e da missão que Ele atribuiu a esse filho – explicou em tom professoral.

– Quais são esses dons, afinal?

– Na mesma carta de São Paulo está a resposta – disse ele, com um sorriso.

– Antônio, você sabe muito bem que não conheço nenhuma dessas cartas. Por que você não é mais claro e me explica cada um?

– Vamos, então, partir do começo. O Catecismo da Igreja Católica enumera sete dons: 1º - Dom da sabedoria (para ver uma situação por todos os ângulos); 2º - Dom do entendimento (para perceber e conhecer os sentimentos e as atitudes do coração dos outros); 3º - Dom do conselho (para tomar boas decisões); 4º - Dom da fortaleza (para ter coragem de viver segundo as próprias convicções); 5º - Dom da ciência (para ter um conhecimento claro do mundo, conforme a época em que se vive); 6º - Dom da piedade (para valorizar a vida e tudo o que a mantém e suporta) e 7º - Temor de Deus (para reconhecer o perigo do erro e do pecado, bem como a vantagem do bem e do cumprimento do dever).

– Não sei se era bem isso que eu queria ouvir. Veja bem, sua explicação foi interessante, mas não ouvi nada sobrenatural. Muito pelo contrário! É algo bem realista, relacionado com habilidades que as pessoas deveriam ter para viver em sociedade. Pensei que você iria me falar algo, digamos, diferente. Coisas que os nossos olhos mortais não alcançam. Não acredito que, no catolicismo, não exista nada relativo a fenômenos paranormais.

Estava investigando sua personalidade; precisava encontrar respostas.

– Olha, vou tomar a liberdade de pegar minha pequena Bíblia e ler para você o ensinamento de São Paulo. Assim você fica com a informação exata e poderá compará-la com o que falei do Catecismo.

Ele retirou o livrinho negro do bolso do paletó.

– Se for para repetir tudo o que já falou, acho que estou satisfeita. Melhor: completamente desapontada!

Sorri para ele.

– O texto de São Paulo começa assim, no capítulo 12, versículo 4: "Existem dons diferentes, mas o Espírito é o mesmo; diferentes serviços, mas o Senhor é o mesmo; diferentes modos de agir, mas é o mesmo Deus que realiza tudo em todos. Cada um recebe o dom de manifestar o Espírito para a utilidade de todos. A um, o Espírito dá a palavra de sabedoria; a outro, a palavra de ciência segundo o mesmo Espírito; a outro, o mesmo Espírito dá a fé; a outro ainda, o único e mesmo Espírito concede o dom das curas; a outro, o poder de fazer milagres; a outro, a profecia; a outro, o discernimento dos espíritos; a outro, o dom de falar em línguas; a outro ainda, o dom de as interpretar. Mas é o único e mesmo Espírito quem realiza tudo isso, distribuindo os seus dons a cada um, conforme ele quer."

Antônio fechou a Bíblia e, sem me olhar, guardou-a imediatamente.

– Espere aí! Há coisas que me interessam, e muito, nesse ponto: dom de cura e dom de milagres? É isso mesmo? – perguntei, me inclinando para a frente.

– Exatamente o que você ouviu, Gabriela.

Ele cruzou os braços, me olhando.

– Há pessoas que podem curar as doenças de outras? E mesmo realizar alguns milagres, além de Cristo?

– Não. As pessoas com esses dons são intermediárias, intercessoras. Quem faz os milagres e quem cura é Deus.

– Difícil de acreditar nesse negócio. Mas não para você, não é? – indaguei, colocando minhas mãos no colo.

– Acho engraçado que você só prestou atenção naquilo de que mais duvida: a cura e o milagre. Você não percebeu, mas, pelo dom da palavra de sabedoria, há pessoas que podem, inclusive, discorrer sobre acontecimentos futuros na vida das outras.

– Pensei que isso fosse o dom da profecia.

– A profecia também se refere ao futuro, mas geralmente não é direcionada a acontecimentos individuais da vida de pessoas comuns. Diz respeito a fatos futuros importantes, relativos a uma comunidade ou mesmo a um país.

– Acho que profecias não me chocam tanto. Talvez porque já se falou muito delas ao longo dos séculos. Tem o caso de Nostradamus e outros parecidos. Não me causa um interesse maior. De qualquer modo, não sei se consigo acreditar em nada disso. Imagine que eu me defronte com uma pessoa com tal dom. Ela vai olhar para mim e dizer que minha saúde é perfeita, mas que no futuro vou adoecer algumas vezes. Ora, fatos imprecisos podem ser ditos por qualquer charlatão!

Agora quem ria era eu.

– Também acho. Mas, muitas vezes, não é desse jeito. É verdade que fatos genéricos podem ser usados para manipular pessoas e fazê-las acreditar que há algo de diferente no ar. Porém, algumas pessoas, quando usam o dom, são bem precisas, posso garantir – disse ele, recostando-se na poltrona.

– Acho muito difícil crer nessas coisas. Se você me indicar uma pessoa que tem algum dom desses lá na sua paróquia, eu poderia ir até lá e entrevistá-la sem causar nenhum tipo de embaraço para você.

– Melhor não entrarmos nessa seara, Gabriela. – O olhar dele estava perdido no espaço, como que fazendo uma leitura do imperceptível. – Gostaria de falar um pouco sobre minha mãe.

Até que enfim! Eu estava buscando um jeito de adentrar as questões da vida familiar dele.

– Ela está viva? – perguntei.

– Só em espírito!

Sorriu como um garoto.

– Tem muito tempo que morreu?

– Não. Bem... Ela teve um tumor maligno no cérebro. Ficou lutando contra a doença por cinco anos. Imagine só! Dores de cabeça todos os dias, uma coisa horrível. Até que morreu no início do ano passado.

Os olhos dele pareciam varar a minha cabeça e atingir a parede atrás de mim. Meu coração disparou: a mesma doença que eu tinha!

– Imagino como você sofreu.

Procurei não deixar transparecer minha agitação e sofrimento.

– Sofri demais. Acompanhei minha mãe todos os dias no calvário da doença...

– Você não tentou levar alguém com o dom de cura para uma oração com ela, Antônio?

– Muitas vezes Deus se manifestou através das minhas próprias mãos. Houve alguns resultados impressionantes, até mesmo para mim. Procurei colocar toda a intensidade que podia nas minhas orações, buscando a cura da minha mãe. Não deu certo... – Ele baixou a cabeça até tocar o queixo no peito. – Também não percebi quando a doença começou a se formar na cabeça dela. Penso que, se eu tivesse visto o tumor, diagnosticado a doença antes de ela ganhar força, até mesmo a medicina poderia ter tomado conta da minha mãe, com sucesso.

Seus olhos ficaram marejados.

– Não diga isso! Você não tem olhos de raios X para saber se há algo dentro da cabeça da pessoa antes mesmo que se revele qualquer sintoma de uma doença.

– Algumas vezes, durante as confissões, o Espírito Santo soprou em meus ouvidos a respeito de pessoas doentes que estavam assintomáticas, Gabriela. Resultado: falei para elas o que estava vendo sobre sua saúde. Elas buscaram auxílio médico e constataram que estavam de fato doentes, em estágio inicial. Todas ficaram curadas. Mas com a minha mãe...

Ele entrelaçou as mãos na nuca, suspirando longamente.

– O passado não volta mais, Antônio. Você é um grande sacerdote. Serviu e serve à sua comunidade com primor. Toma conta das suas ovelhas como nenhum outro pastor! Não teve nenhum tipo de culpa no evento da sua mãe. Você mesmo disse que Deus é quem concede o dom. Ele é quem usa a pessoa com o dom. No caso da sua mãe, Ele não quis que você diagnosticasse a doença e, consequentemente, a curasse.

Dei um leve sorriso para ele.

– Isso tudo não sai da minha cabeça desde o dia em que a enterrei!

– Você mesmo sabe que Deus leva as boas pessoas para o céu. Não posso acreditar que esteja se lamuriando pela morte da sua mãe. Acabou de me dizer que ela estava viva em espírito. O que é, então?

– Tudo o que você falou está correto. Mas fiquei com a sensação de que fui abandonado por Deus. O sentimento de ser excluído de um círculo de amizade. Pior: no momento mais importante da minha caminhada, Deus permitiu que o mundo me tirasse tudo o que eu tinha, inclusive os dons que Ele próprio me dera – explicou, esfregando a testa.

– Você ainda se sente indefeso diante do mundo e da vida? Abandonado por Deus?

– Hoje posso garantir que me sinto bem melhor. Não estou totalmente recuperado, mas bem melhor. Estou aceitando mais os meus limites. Entendi que Deus não me eliminou do seu círculo de amizades. Ele me testou e, claro, beneficiou minha mãe, conduzindo-a ao Paraíso. Pelas nossas conversas aqui, tenho percebido como fui injusto no meu julgamento. Graças a você, Gabriela, e a Deus.

Tinha a convicção de que ele estava no caminho certo da cura do seu coração. Em breve poderia lhe dar alta. Ele voltaria a ser um homem alegre. Já dormia bem durante a noite. Tinha alguns altos e baixos, mas tudo estava caminhando muito rápido.

– Antes de terminar a sessão... sei que já está na hora... queria que você soubesse que talvez Deus me dê, num futuro muito próximo, uma nova chance de me confrontar com um tumor maligno no cérebro. Espero ser o vencedor desta vez.

O olhar era penetrante e o sorriso parecia me dizer algo.

– Como assim? Você está prevendo a própria doença? – perguntei, um tanto assustada.

Gostava dele, não queria que sofresse com um câncer, mesmo porque já tinha enfrentado muito sofrimento com a morte da mãe.

– Não. Não minha. Deixa pra lá. Só sei que Ele vai me colocar de novo diante de uma batalha similar. Desta vez vai me permitir a vitória. É só um palpite – explicou, alargando o sorriso.

– Se Ele quiser dar uma nova chance a você, também acho que lhe dará uma bela vitória.

Ele se levantou e abençoou o consultório, despedindo-se.

Quando a porta bateu atrás dele, meu coração ficou inquieto. Será que ele tinha visto? Eu não havia deixado transparecer nada. Nem tinha contado sobre os resultados terríveis de meus exames a ninguém, só ao padre José. Ele com certeza, manteria tudo sob sigilo.

Será que a revanche dele contra o tumor se referia a mim? Por um momento fiquei tentada a lhe perguntar se sabia da minha doença. Desisti. Seria muita falta de ética. Restava-me torcer para ser adotada por ele em suas orações.

Quando me deparei com os olhos derrotados do meu médico, dizendo que não havia cura para o meu caso, conscientizei-me de que só me restava uma única saída: rejeitar a ciência e mergulhar na espiritualidade. Lembro-me, inclusive, de que havia acabado de dar alta a Antônio. Ele, por sua vez, fora mandado ao Vaticano para uma temporada de dois anos. Fora convocado para dirigir estudos na área em que era especialista.

Antes de o frade franciscano embarcar para Roma, fui à sua última missa na igreja de padre José. Ele me acolheu alegremente e, sem falar do meu problema – já que nunca havíamos conversado nada a esse respeito –, colocou as mãos em minha cabeça, fechou os olhos e fez uma oração silenciosa. Demorou-se uns três minutos, balbuciando palavras incompreensíveis aos meus ouvidos.

Quando seus olhos se abriram, ele disse que eu estaria permanentemente em suas orações. Não importava em que parte do mundo ele estivesse, tomaria conta de mim, como uma de suas filhas espirituais. Não falou da boca para fora. Seus olhos faiscavam e as mãos estavam extremamente quentes.

Naquele momento me senti muito protegida. Meu coração se acalmou e o medo foi embora. Cheguei em casa muito tranquila, pensando que a morte não iria me pegar assim tão fácil como acreditavam os médicos. Mas, no combate do dia a dia, muitas vezes nossa coragem falha...

– Doutor Ricardo, só procurei o senhor porque vinha perdendo algumas vezes o equilíbrio enquanto caminhava, tendo enxaquecas frequentes – falei, trêmula, diante do neurologista.

– Gabriela, agora é o momento de termos coragem. Não é hora para buscarmos explicações de como tudo aconteceu. Vamos enfrentar a situação. Não dá mais para nos enganarmos – respondeu ele, com ar preocupado.

– Já que está sendo bem sincero comigo, gostaria de lhe fazer algumas perguntas.

Ele assentiu.

– Quanto tempo de vida exatamente eu tenho? – indaguei, com lágrimas nos olhos.

– Difícil dizer, pode até ser que se cure – disse, sem nenhuma convicção, abanando as mãos.

– Não vejo, nos olhos do senhor, crença em cura no meu caso. Sejamos francos, doutor: quantos pacientes seus tiveram câncer no cérebro e sobreviveram?

Engoli o choro. Minha voz estava decidida.

– As estatísticas médicas indicam que só 25 por cento dos pacientes com tumor no cérebro sobrevivem mais do que dois anos.

– O senhor é o maior especialista do Rio de Janeiro. Algum paciente seu escapou, num caso idêntico ao meu? – perguntei, confiante.

– Em casos idênticos ao seu, não. Nenhum paciente meu conseguiu vencer a doença.

O neurologista deu um suspiro.

– Como vamos fazer, então?

– Cirurgia, radioterapia e quimioterapia. E, se eu fosse você e acreditasse em Deus, muita oração – respondeu, batendo as mãos espalmadas no tampo de vidro da mesa.

Fiquei completamente arrasada naquela sexta-feira. Havia sobre a minha cabeça uma sentença de morte e, pior, eu não estava preparada. Era uma profissional bem-sucedida, tinha apenas 45 anos e, no estágio atual da doença, não me sentia tão mal a ponto de dizer que iria encarar meu fim em breve.

CAPÍTULO XV

Busca

— Eu entendo um pouco o que você quer dizer: se Deus é poderosso, deveria fazer diretamente toda a obra e livrar seus filhos do sofrimento. – O padre respirou fundo, preparando-se para o que falaria a seguir. – Seu questionamento é muito comum entre pessoas habituadas a viver de forma racional. Não há mal nenhum nisso! Eu mesmo, antes de me deparar com situações que me levaram ao sacerdócio, tinha essa opinião.

Ele estendeu a mão e tocou na minha.

– José, perdi meu pai e minha mãe para doenças terríveis. Eu estou com uma muito mais problemática que a deles. Quem olha a minha aparência não desconfia de nada. Trabalho e levo minha vida normalmente. As únicas coisas que têm me incomodado são a falta de equilíbrio e as dores de cabeça.

– Seu estado físico é de fato impressionante e sua atitude é nobre. Tenho certeza absoluta de que Nossa Senhora vai acolhê-la. Acredito muito no que frei Antônio falou para você e, posso garantir, ele é um grande intercessor. Um homem com voz privilegiada diante de Deus. Quantas vezes presenciei curas por seu intermédio!

Ele acariciou minha mão, tentando me passar confiança.

– Não sei. Talvez ele tenha feito uma gentileza por ter se curado, por estar feliz com o cargo novo em Roma. Não sei... – retruquei, contendo as lágrimas.

– Não sou tão bom quanto ele em assuntos místicos. Confesso que nunca obtive a cura de ninguém através da minha oração. A respeito do que você está passando, posso dizer que o maior mestre que a humanidade já teve, Cristo, contou a seguinte parábola...

Ele se ajeitou na cadeira para prosseguir, com o rosto mudado, um ar de alegria.

– Um homem de alta estirpe precisou viajar a uma terra longínqua para ser investido como rei e voltar em seguida. Chamou dez servos e distribuiu entre eles dez moedas de grande valor. Determinou que eles fizessem negócios em seu nome, até o dia da sua volta.

Percebendo meu olhar interessado, continuou:

– Quando o rei retornou, mandou convocar aqueles servos encarregados de investir seu dinheiro. Na medida em que fizeram crescer os investimentos do rei, receberam ainda mais honrarias, bem como mais responsabilidades. – Ele sorriu e prosseguiu: – Um dos servos, com medo do rei, que era um homem muito severo, guardou o dinheiro exatamente como lhe havia sido entregue! Ora, o rei ficou bastante decepcionado com o sujeito.

Ele me olhou nos olhos para conferir se eu estava seguindo sua história.

– Mas, José, o rei não teve nenhum prejuízo com isso. Para que implicar com o pobre homem?

Peguei-me interessada pela parábola, analisando cada palavra para ver se trazia algo útil para minha situação.

– Gabriela, ao devolver a moeda ao rei, o homem lhe disse que o temia, por ser um sujeito que tomava o que não depositava e ceifava onde não semeava. Então o rei disse que iria julgá-lo conforme suas palavras.

– Não compreendo. Por que julgar o homem de modo diferente?

– O único servo que tinha medo do rei era exatamente aquele que não havia tomado nenhuma atitude com relação ao dinheiro. Sabe o que o rei disse a ele depois de ouvir toda a sua reclamação?

– Bem... Imagino que ele deve ter mandado o servo para as masmorras do castelo, para sofrer e pagar pelas palavras e falta de ousadia – respondi, sem muita convicção.

– Calma, Gabriela! Note bem: o único que tinha medo do rei era justamente aquele homem. Ora, o rei não era um homem cruel, apenas justo. Seus julgamentos eram exatos. Não havia favorecimentos nem distinções entre grupos que estivessem na mesma situação. Bom, ele não mandou ninguém para o calabouço! – José deu uma bela risada. – O rei apenas perguntou ao servo medroso por que ele não havia depositado o dinheiro em um banco. Assim o teria recuperado com juros.

– Que coisa, José! Parece que o rei quis mostrar ao homem que, além de medroso, ele não foi correto, honesto. Se pensarmos bem, o dinheiro do rei poderia de fato ter se desvalorizado ao ser guardado por um período de tempo embaixo do colchão do servo.

– Ainda não acabou, Gabriela. O final da parábola é muito interessante. O rei determinou que tirassem o dinheiro dado àquele servo improdutivo e o dessem para o que tinha obtido a maior quantidade no tempo em que ele esteve fora.

O padre sorriu e cruzou os braços.

– Isso não me parece certo. Tirar do que tem menos e dar ao que tem mais? Acho que Jesus fez alguma confusão ao contar a parábola... – afirmei, indignada.

– Não, Gabriela. Jesus era preciso. Não houve nenhuma confusão. O rei disse aos servos, por fim, que a todo homem que tem será dado, mas ao que não tem, mesmo o que tem lhe será tomado.

O silêncio tomou conta da sala.

– Você teve a vantagem de ler isso na Bíblia inúmeras vezes e meditar. Eu ouvi essa história pela primeira vez hoje. Posso dizer, sem vergonha, que não entendi o significado. O que tudo isso tem a ver comigo?

– Gabriela, a parábola demonstra, em primeiro lugar, que é errado ter medo de Deus. Deus é Justiça, mas isso não significa que não nos ame. Não devemos partir da crença de que seremos severamente punidos por toda a eternidade a cada falha nossa, sob pena de não termos coragem de tomar decisões importantes na nossa caminhada.

– Tudo bem, José, entendo. Era exatamente a crença de frei Antônio: Deus é Amor e Justiça ao mesmo tempo. O pai zeloso que conduz seus filhos pela vida, educando-os para a eternidade.

Falei tudo como se tivesse decorado.

– Essa história de tirar o dinheiro do sujeito que não o aplicou e entregá-lo ao que obteve o melhor investimento parece coisa de empresário ganancioso! – resolvi cutucá-lo.

– Vamos observar a situação com mais profundidade. O rei quis dar uma lição a todos os servos, não só àquele que disse e fez bobagens. Não se tratava de ganhar mais dinheiro. Ele não precisava disso! A questão era tornar evidentes as qualidades de cada um dos servos, incentivá-las. Motivá-los a serem daquela forma. Tudo não passava de um teste para saber se os servos eram corajosos, ousados, se tinham a confiança necessária no seu rei.

Por um momento, aquelas palavras ressoaram na pequena sala. O exemplo era para todos os servos. A voz de outro homem parecia falar em coro com José. Fiquei toda arrepiada. Havia uma presença lá, junto de nós, nos observando. Pelo que pude notar, o padre não sentira nada.

– Você está me dizendo que doenças de todo tipo e situações de desgraça aqui na Terra podem servir de lição para as mais diversas pessoas ao mesmo tempo? Eu posso servir de lição para outros? – elevei a voz.

– Estou dizendo isso, sim! – Pousou ambas as mãos espalmadas na mesa de madeira. – Sua doença pode ser causa de libertação de muitos corações, inclusive do seu. Deus tem o poder de usar cada situação ao máximo. Um único acontecimento pode educar um enorme número de pessoas.

Eu continuava a escutar seu discurso sobre a parábola em silêncio. Apesar de meus olhos estarem fixos no padre, minha mente viajava. Eu pensava em fatos ruins da minha vida. Seriam testes aplicados pelo Rei? Talvez eu tivesse sido reprovada... Ao longe, ainda ouvia a voz de José:

– Quanto mais o servo tem essas qualidades, mais se aproxima do coração do rei. O rei lhe confia maior número de bens e missões, já que muito é dado ao servo fiel. Sua responsabilidade, porém, aumenta proporcionalmente. Por isso é preciso que ele seja cada vez mais forte, mais preparado para as situações da vida e, acima de tudo, confie cada vez mais no rei. Daquele que não tem iniciativa, que fica simplesmente esperando a volta do rei, esbravejando contra ele, sem nada fazer, por medo ou preguiça, tudo é tirado! O que você precisa ter em mente agora é que a covardia e as reclamações sem fim diante de situações desagradáveis não agradam ao rei. Aliás, o próprio julgamento equivocado sobre a personalidade do rei não é aconselhável.

– Não me entenda mal – repliquei. – Não estou aqui para reclamar de nada. Mas gostaria muito de entender Deus. Se o que vivo agora é um teste para mim, quero saber em que consiste. Como ser aprovada? Quero lutar até o fim. Vim buscar apoio em homens de espiritualidade. Os homens da ciência já me condenaram.

– Gostei! Sempre achei que seus olhos transpareciam o espírito guerreiro. Não me enganei. Posso afirmar, de todo o coração, que você tem enorme importância para Deus. – Ele segurou firme na minha mão. – Deus ama você e coloca em suas mãos a responsabilidade de tentar solucionar os problemas das pessoas que a procuram. Por outro lado, também lhe dá um teste terrível como este pelo qual está passando agora. Quem pode entender a psicologia de Deus?

Ele fechou os olhos e coçou a testa. Permaneci em silêncio, observando-o.

– Incrível como um grande número de pessoas, diante das dificuldades, acabam responsabilizando Deus ou o destino por seus fracassos e dores. O servo da parábola de Jesus, logo que é chamado a se explicar, dá como desculpa o fato de ter medo do rei, pois se trata de um homem severo.

– Tenho visto a atitude do servo em inúmeros pacientes meus, José. Cada vez mais percebo que as pessoas adoram achar um culpado para suas perdas e derrotas. Não desejam assumir responsabilidade pelos próprios passos. Eu escolhi outro caminho.

– Por isso, Gabriela, eu procuro fazer um exame de consciência todos os dias ao me deitar. Analiso meus atos e minhas palavras. Se encontro algo de errado, algum mal que tenha causado, me preparo para repará-lo nos dias que virão. Tento também não repetir os erros.

– É o que todos nós devemos fazer. Eu sempre procurei evoluir, melhorar em minhas qualidades e abandonar ou conter meus defeitos. Acho que isso é tão básico no ser humano que calculo que Jesus também tenha uma parábola sobre isso.

Meu coração estava mais leve, até consegui brincar com ele.

– Há uma parábola, sim, no capítulo 25 do Evangelho de São Mateus. É a história das dez virgens que aguardavam o esposo. Cada uma delas tinha um lampião. Para que o lampião acendesse, era necessário colocar azeite. Cinco delas, prudentes, abasteceram os seus. As outras não tomaram providências. No meio de uma noite, ressoou um grito, avisando a chegada do esposo. As virgens prudentes, alegres, foram com os lampiões ao encontro do esposo. As outras pediram azeite emprestado, mas em vão, pois não havia suficiente para a divisão. Logo, precisaram sair para comprar.

– José, por que as primeiras não quiseram emprestar um pouco? – perguntei, apressada.

– Porque a quantidade que elas tinham em seu poder só poderia abastecer os próprios lampiões. A culpa não era delas, mas das outras, que foram imprudentes. Acharam que poderiam resolver esse problema a qualquer momento. Mas não foi assim... – respondeu o padre. – Continuando a parábola... O esposo acolheu as cinco virgens prudentes na sala do festim nupcial, fechando a porta. As outras, que tinham ido comprar o azeite, chegaram atrasadas. Bateram à porta do salão, pedindo para entrar. Negando o pedido delas, ele alegou não conhecê-las.

– Caramba, José! Que coisa mais dura! Será que o esposo não poderia ter quebrado o galho delas? – perguntei, meio sem jeito.

– Aí é que mora o problema, Gabriela. Nós temos esta inclinação de pensar que todo mundo deve dar um "jeitinho". Isso não serve para Deus! Sabe o que Jesus diz ao final dessa parábola? – indagou, apoiando os cotovelos na mesa.

– Nem imagino.

– "Vigiai. Vocês não sabem nem o dia nem a hora."

– Engraçado!

– Qual é a graça?

– Quando o médico me disse que a média de vida das pessoas com o meu problema de saúde era de dois anos, pensei na hora: "Ninguém sabe o dia em que alguém vai morrer!" Está vendo? Meu raciocínio foi bíblico! – exclamei, sorridente.

– Verdade, Gabriela. Ninguém pode saber da vida do outro. Como diz a sabedoria popular: "O futuro a Deus pertence!" De qualquer forma, não era sobre o momento da sua nem da minha morte que Ele estava falando. Penso em algo a ser usado no dia a dia. Um controle que a pessoa pode exercer sobre si mesma. Um diário. Tenho feito um com bons resultados. Acho que para você será uma ferramenta excelente, já que passa por um momento tão delicado.

Permaneci em silêncio, pensativa.

– Gabriela, o Mestre está aconselhando a prudência. Vigilância sobre seus atos e palavras. Todos os dias, a cada momento, pois nem você, nem ninguém sabe quando a própria vida vai acabar. A chegada do esposo, para cada um, pode se dar de modo inesperado! Se não estivermos preparados para nos apresentarmos a Deus nesse dia, teremos sido imprudentes. Ficaremos de fora da sala do festim!

– Acho muito difícil que alguém que tenha uma vida normal, com problemas do cotidiano, mas sem nenhuma tragédia, tenha disciplina para aplicar um sistema tão exigente consigo mesmo. Tenho dúvidas, inclusive, se homens como você, padres e frades, que levam uma vida de oração, são vigilantes como o Mestre quer.

– Infelizmente, só uma percentagem. Não todos. Note que a oração e a vigilância são coisas distintas. Ser apenas um homem de oração, ou somente um sujeito vigilante, não traz o resultado aguardado pelo Senhor. Jesus nos aconselha a soma das duas – explicou ele, mais sério.

Como permaneci em silêncio, olhando-o nos olhos, ele tomou a palavra novamente:

– Resumindo, Gabriela, estamos neste mundo com uma missão conferida pelo Pai. Devemos nos esforçar ao máximo para cumpri-la, usando todos os nossos dons, não nos omitindo ou nos escondendo dos desafios, tomando decisões e assumindo a responsabilidade por elas. Assim, temos que nos vigiar todo dia, constantemente. E rezar muito!

Ele voltou a abrir um largo sorriso.

– No meu caso, José, não tenho alternativa. Falarei com Deus todos os dias. Tentarei examinar meus atos para ver se há muitas falhas. Quero ser uma mulher melhor. E rápido, pois não tenho mais tempo a perder.

– Permita-me fazer uma observação, Gabriela – disse ele, segurando meu braço.

– Claro, é para isso que eu vim até aqui.

– Nós, católicos, temos uma arma muito importante diante do sofrimento, das adversidades. Acho que já está na hora de ser usada por você.

– Qual? Se você me contar, eu vou até os confins da Terra buscá-la. E vou correndo! – Sorri, nervosa.

– A Virgem Maria. Há vários testemunhos aqui na paróquia ligados a ela. Aliás, busque na internet. Há milhares de histórias que contam sobre a intercessão vitoriosa de Maria Santíssima. Clame por ela!

– Não pensei nisso ainda. Tentei entrar nesse tema com frei Antônio certa vez, mas não deu. Agora ele está em Roma...

– Nossa Senhora está com todos os filhos dela. Onde quer que se encontrem, seja no Rio de Janeiro ou em Roma. Ela está com Antônio lá e com você aqui. Basta acreditar.

– Nunca tive nenhum tipo de intimidade com ela, tirando a época de escola, quando era criança, e o interesse que eu tinha por uma pequena imagem da minha avó que ficava na casa da minha mãe.

Tentei explicar ao padre que a Virgem provavelmente não me reconhecia como filha.

– Hoje, quando você voltar para casa, procure estudar um pouco o tema. Pesquise sobre os santuários marianos. Leia as histórias e os testemunhos. Forme um juízo seu sobre o caso. Assim, você mesma vai chegar à conclusão se é útil ou não buscar a ajuda da Virgem.

– Muito bem, não me custa nada. Sempre leio algo à noite. Posso fazer leituras marianas. Vou dar um voto de confiança ao seu conselho mais uma vez! – Sorri, mais tranquila.

– Podemos fazer uma oração antes de nos despedirmos? – perguntou-me, alegre.

– Claro que sim, desde que você me dê uma bênção!

– Muito bem. Vamos ficar em pé, então? "Lembrai-vos, ó Puríssima Virgem Maria, que nunca se ouviu dizer que algum daqueles que têm recorrido à vossa proteção, implorado a vossa assistência e reclamado o vosso socorro fosse por vós desamparado. Animado eu, pois, com igual confiança, a vós, Virgem entre todas singular, como à Mãe recorro, de vós me valho, e gemendo, sob o peso de meus pecados, me prostro a vossos pés. Não desprezeis as minhas súplicas, ó Mãe do Filho de Deus humanado, mas dignai-vos a ouvi-las, propícia, e a me alcançar o que vos rogo. Amém."

– Nossa, José! Que oração mais bela! Você não compôs isso agora, de improviso, não é?

– Claro que não! Roubei de São Bernardo de Claraval – respondeu, dando uma gargalhada.

– Adorei! É muito bonita mesmo. Tem como copiá-la para levar comigo? Gostaria de fazer essa oração diariamente. Talvez a Virgem fique sensibilizada com o meu caso...

– Vou procurar aqui no armário. Acho que tenho alguns santinhos de São Bernardo, com a imagem dele em um lado e a oração na parte de trás.

Depois de vasculhar um pouco, ele exclamou:

– Aqui, pronto! Sabia que tinha alguns ainda!

Ele me entregou os santinhos com alegria.

– Quem sabe São Bernardo possa apoiar a minha causa também?

– Muito provável que sim.

CAPÍTULO XVI

Confronto

Saí da cama pensando em me atirar direto no chuveiro. Era um grande dia. Dominando minha ansiedade e pressa, abri um pouco as janelas do quarto do hotel: queria ver como estava o tempo lá fora. Nublado. As ruas estavam molhadas, logo chovera enquanto eu dormia tranquila.

Inspirei fundo o ar puro e gélido da cidadezinha. Deu-me um prazer instantâneo. Um pequeno sorriso se desenhou em meus lábios. Deus era um sujeito muito divertido. No pior momento da minha vida, dera-me dois amigos fiéis: um havia sido meu paciente, o outro havia encomendado o corpo da minha mãe. Ambos eram sacerdotes. Tudo o que nunca imaginara: uma amizade sincera com homens da Igreja Católica! Logo eu...

Estava preocupada com o futuro. O que mais Deus poderia preparar de surpresa para mim? Naquela manhã, de qualquer forma, haveria um acontecimento especial. Não só para mim, mas para todo o grupo de peregrinos brasileiros. Era, poderia dizer, um dia de gala!

Quando estive no escritório de Miguel, logo após saber que a medicina não poderia solucionar meu problema, conversando a respeito das peregrinações a santuários marianos, me deparei com Lourdes. O que mais havia me chamado a atenção era a possibilidade de me banhar nas mesmas águas que haviam curado tantas pessoas, por diversas gerações.

Finalmente, o momento havia chegado. Miguel marcou às nove horas com o grupo. Nós nos encontraríamos em frente à gruta do santuário, diante do rio Gave. Haveria uma pequena oração conduzida pelo sacerdote que estava como diretor espiritual e, imediatamente, seguiríamos para as salas de banho.

Tinha levado meu maiô de natação, azul, para honrar o manto de Nossa Senhora. Precisava que ela notasse minha presença. Queria agradá-la de qualquer maneira. Ao chegar a Paris, todavia, em um dos jantares com o grupo, Miguel nos explicou que, no banho de Lourdes, ficávamos sem roupa!

Houve um pequeno alvoroço. As senhoras mais velhas disseram que não iriam participar, pois não conseguiam se imaginar nuas na frente das outras mulheres. Miguel riu bastante. Os banhos eram individuais. Só as colaboradoras do santuário ficariam ao redor da pequena piscina para ajudar a pessoa a se banhar. Além disso, cobriam nossa nudez com um lençol.

Um suspiro de alívio percorreu a mesa. Eu não estava me incomodando muito. Se fosse preciso, tiraria a roupa na frente das outras e mergulharia de cabeça na piscina. Tudo o que eu desejava era ficar curada do tumor. Como aconteceria a experiência das águas, pouco me importava.

Entrei no banheiro e abri a torneira de água quente. O vapor tomou conta de todo o recinto. Olhando através daquela verdadeira neblina, me veio à mente uma história guardada no "baú de antiguidades". Até que não era tão distante assim: tinha sido contada na minha época de faculdade.

Tudo se passou na aula de filosofia. Quem me falou nem era religioso! Não me recordo exatamente do debate em curso naquele dia, apenas que todos os participantes admiravam Santo Agostinho e o tinham como um homem de intelecto poderoso, um dos grandes pensadores da História.

Após sua conversão, Agostinho caminhava pela praia, tentando compreender Deus, quando se deparou com um menino. Ficou curioso, já que a criança, com uma espécie de baldinho, ia até o mar, o enchia e derramava todo o conteúdo em um buraco na areia. Fazia isso sem parar. Em determinado momento, após observar o vaivém do garoto, Agostinho questionou sua atitude. Queria saber o que ele pretendia.

O garoto, sem hesitar, respondeu que estava colocando toda a água do mar no buraco. Agostinho riu e disse que aquela tarefa era impossível. O pequeno retrucou que tentar compreender Deus com a inteligência humana também era.

Alguém na sala de aula perguntou se o professor pensava que a história era real. Ele se esquivou da questão dizendo que o fundamental era o cerne do embate entre o santo e o garoto. Outro se pronunciou dizendo que o garoto seria um anjo. Uma das moças perguntou, em tom zombeteiro, onde estavam as asas, mas ele rebateu que um anjo não precisava ter asas.

Eu mesma pensei que se tratava de uma lenda, criada pelo próprio Agostinho, para justificar sua inabilidade para compreender algo tão grande como Deus. Era algo tão magistral, simples e bem formulado que só podia ser fruto de um exímio contador de "causos". Um cálculo muito simples: Deus infinito não cabe na cabeça limitada do homem.

No tempo de faculdade, eu pensava que Agostinho buscava tais respostas porque a sociedade era extremamente supersticiosa. Era uma coisa cultural: todos tinham confiança em algum tipo de deidade. Achava que o santo, por observar o que acontecia em seu meio, buscava compreender o que seria Deus.

Depois que saí do consultório do médico, com a minha sentença de morte pairando sobre a cabeça, vi que a coisa não era bem como eu pensava. A busca do santo filósofo era autêntica. O interesse dele não se relacionava com as crenças das pessoas. Tinha a ver com o que ele, intimamente, reputava fundamental na existência humana. Essencial para a própria alma. Era e continuava sendo um assunto absolutamente atual.

Debaixo da água quente, pouco me importava se o conto era verdadeiro ou não. Também não me preocupava mais o fato de a inteligência humana não conseguir enxergar muito longe. Para falar a verdade, melhor que o menino fosse mesmo um anjo, e a história, a mais pura verdade. Eu precisava muito de um encontro como aquele tal de Agostinho.

Enquanto descia as escadas do hotel, sem paciência para esperar o pequeno e velho elevador, deparei-me com Ana e Teresa. Estavam se dirigindo para o mesmo lugar que eu, de ótimo humor. Perceberam logo que meus cabelos estavam molhados.

– Desistiu do banho nas águas de Maria e tomou um por conta própria? – brincou comigo Ana.

– Não. Quero estar o mais limpa possível para que a Virgem faça a obra de que preciso.

– Não se trata de limpeza, mas de fé – replicou Teresa.

– Não entendi.

– Ana, abra, por favor, uma página da sua Bíblia aleatoriamente – pediu Teresa.

Eu observara que Ana sempre carregava uma pequena Bíblia de bolso.

– Vamos, antes, rezar uma Ave-Maria – convidou Ana.

Na entrada principal do hotel, entoamos uma Ave-Maria. Os empregados do hotel pararam, curiosos, para nos olhar.

– Então, o que Deus tem para nós esta manhã? – perguntou, confiante, Teresa.

– Abri a Palavra no Evangelho de São Lucas, capítulo 18, no trecho que começa com o versículo 35 – respondeu Ana, toda contente.

– Querida, não sabemos de cabeça o que está escrito aí! Leia, por favor – pediu Teresa.

– "Quando Jesus se aproximava de Jericó, um cego estava sentado à beira do caminho, pedindo esmolas. Ouvindo a multidão passar, ele perguntou o que estava acontecendo. Disseram-lhe que Jesus Nazareno passava por ali. Então o cego gritou: 'Jesus, filho de Davi, tem piedade de mim!' As pessoas que iam na frente mandavam que ele ficasse quieto. Mas ele gritava mais ainda: 'Filho de Davi, tem piedade de mim!' Jesus parou, e mandou que levassem o cego até ele. Quando o cego chegou perto, Jesus perguntou: 'O que quer que eu faça por você?' O cego respondeu: 'Senhor, eu quero ver de novo.' Jesus disse: 'Veja. A sua fé curou você.' No mesmo instante, o cego começou a ver e seguia Jesus, glorificando a Deus. Vendo isso, todo o povo louvou a Deus."

Ana fechou a Bíblia, beijando-lhe a capa.

– Não é possível! Vocês combinaram, não foi? – questionei, pasma.

– Querida, acabamos de nos encontrar. Não dormimos no mesmo quarto e não estivemos juntas no café da manhã. – Teresa parecia estar se divertindo.

– Ah! Mas teve uma senhora que combinou tudo isso comigo... – começou Ana, fazendo ar de seriedade.

– Logo vi! Não pode ser normal uma pessoa abrir um livro em uma passagem que tem tudo a ver com o que a outra precisa – respondi, distraída.

– É claro! Quer o nome dela, para verificar a história? – perguntou Ana.

Naquele momento, percebi que não era possível haver nenhum tipo de armação ali. Eu a vira retirar da bolsa a Bíblia, que não estava marcada. Percebera, ainda, o jeito vigoroso com que Ana a abrira de supetão, sem se incomodar com o que daria. Ela estava de olhos fechados e só os abrira quando Teresa pedira que lesse em voz alta.

– Mas não perca seu tempo procurando por aí. Ela vai encontrar você daqui a pouco, no santuário. Seu nome é Maria. Quando afundarem seu corpo na piscina, você chama por ela!

Assim que Teresa terminou a frase, ambas caíram na gargalhada. Eu também, dando-me por vencida, comecei a rir.

Era assombroso. Uma pequena Ave-Maria para receber uma mensagem para aquele dia. Se bem que antes, no chuveiro, eu pedira mentalmente para que a Mãe Santíssima cuidasse do meu banho no santuário. Que as minhas feridas, do corpo e da alma, fossem verdadeiramente lavadas.

Uma mágica. Ana abrira um livro com mais de mil páginas exatamente na parte em que um cego pede a cura. Eu também estivera cega durante todos aqueles anos. Também precisava, urgente, de cura.

– O que você entende da passagem, Teresa? – perguntei, como quem não quer nada, enquanto caminhávamos rumo ao santuário.

– Maria quis nos dizer que, antes de tudo, somos pessoas que não enxergam a verdade. Cegos no sentido espiritual. Quando estivermos lá, devemos pedir que o Senhor retire toda a cegueira.

Eu assenti. Santo Agostinho me veio à memória de novo.

– Fica também claro que Maria quer nos dar a cura – prosseguiu Ana. – A passagem do Evangelho menciona que aquele homem persistente ganhou a cura que procurava. Também nós temos muitos problemas para serem sanados. Se gritarmos para o Senhor, poderemos obter sucesso.

Ana me olhou com doçura e Teresa aquiesceu.

– Outra coisa importante no Evangelho é que um homem cego era considerado um homem "sujo" pela sociedade da época – completou Teresa, segurando meu braço. – Consideravam que havia algum pecado nele ou na família.

– Mas que absurdo! – exclamei, horrorizada.

– As coisas eram assim, fazer o quê? – Ana tentou me acalmar.

– A mensagem que Maria Santíssima nos dá esta manhã é que não importam nossos pecados – continuou Teresa. – Ela nos ama do jeito que somos. Sabe que lutamos muito para chegar até aqui. Fomos perseverantes. Deixamos nosso país e conforto para peregrinar em busca de algo espiritual. – Ela sorriu para Ana.

– Sim, Teresa. Uma peregrinação não é uma viagem de lazer ou negócios. É algo sério. Para você também, Gabriela. Percebemos como você esteve compenetrada durante nossa estada na Europa. Como parece ter um coração aberto às coisas de Deus! – Ana acariciou meus cabelos úmidos.

– Gostaria que isso fosse verdade, Ana. Mas meu coração sempre foi fechado para as coisas de Deus. Ele mesmo não encontrou, nos últimos anos, espaço na minha vida...

– Mas agora você está no rumo certo, querida – contrapôs Teresa, sorridente. – Não há com o que se preocupar. Ele sempre nos quer de volta. Não importa em que momento se dê o retorno. Ele é um pai amoroso. Espera por nós até o último minuto.

– Tomara que vocês estejam certas. Eu sou realmente aquele cego no caminho de Jesus, ou melhor, no caminho da Mãe dele. Gostaria que ela me aceitasse como filha legítima – falei, olhando para baixo, examinando nossas pegadas, já perto do portão do santuário.

– Se você soubesse o quanto ela ama você, não diria uma coisa assim. Podemos lhe garantir, não é, Ana? Ela está esperando você dentro da água. Vai fazer seu coração ficar leve. Vai curá-la de todo o mal.

– Firme seus pensamentos no que a Teresa lhe disse lá no hotel. Não precisa estar limpa para receber um milagre de Deus. Precisa estar cheia de fé. Como o cego, que percebeu o seu momento único. A proximidade com Deus e a chance de ganhar a vitória. Estamos pisando agora em solo sagrado. É a sua chance de vencer. Grite mesmo para Deus! Peça que a Mãe Santíssima apoie sua causa. Você tem fé, eu sinto isso. Vai sair triunfante! – Ana acariciou minhas costas.

Encontramos os outros componentes do grupo. Miguel erguia uma antena com uma bandeirinha do Brasil pendurada. Todos estavam em silêncio. O interior do santuário não era lugar para papo, só para oração.

Alguns olhos já estavam marejados de emoção. A friagem e o vento constantes tocavam nosso rosto. A temperatura devia estar em torno dos 9 graus. O sacerdote convidou o grupo para a oração do Ângelus: uma saudação matinal à Virgem Santíssima.

Eu não conhecia as respostas à saudação, apenas sabia rezar a Ave-Maria. Foi o que fiz. Ao término, o grupo começou a se dirigir para a entrada da casa de banhos. Parei um instante junto à mureta de pedra que ladeava o rio. Olhei para suas águas turvas e revoltas. De repente, no meio de marolas, surgiu, transparente, uma cabeça de mulher!

Ela veio suavemente até a superfície, como um fantasma, e me encarou com olhos azuis. Os cabelos pareciam ser negros e estavam parcialmente cobertos por um véu branco. Ela sorriu e, então, a imagem começou a se desfazer pelo curso das águas do Gave.

Na hora, meu coração disparou e quis saltar da boca. Olhei para o chão, bastante tonta. Fechei os olhos para me estabilizar. Sentei-me na mureta. Abri os olhos e vi que o grupo já estava bem próximo ao local do banho. Eu ficara para trás.

Respirando fundo, levantei-me e me pus a marchar em ritmo acelerado. Acabei ocupando o último lugar da fila de mulheres que se formava do lado de fora. Podia ver, logo à direita, uma fila de homens muito menor do que a nossa. Não me espantei: a presença feminina é bem maior nas coisas espirituais. Os homens não têm tanto interesse, salvo se passarem alguma necessidade de saúde ou financeira, especialmente a segunda.

Percebi que as senhoras à minha frente rezavam o terço silenciosamente. Como também havia trazido o meu, retirei-o do bolso e comecei a rezá-lo mentalmente. Estava muito nervosa. O momento crucial do meu confronto com a doença estava para acontecer.

Meus pensamentos confusos se perdiam em meio à oração. O cérebro repetia a Ave-Maria, mas diversas imagens da minha vida seguiam passando diante de mim. Uma delas me dominou: a travessia da baía de Guanabara. O dia em que avistara a sereia.

Sereia? Meu Deus! Tive um estalo. Olhei para a mureta ao longe, onde estivera sentada havia poucos instantes. Meus olhos perscrutaram o Gave. Onde estava? Estaria escondida? Como se fazia para chamá-la?

Eu nunca havia ligado uma coisa à outra. Aquela mulher que me acolhera nas águas da baía de Guanabara era a mesma que estava sorrindo havia pouco para mim. Diante da minha ignorância, meu coração berrou para o combalido cérebro: "É a sua Mãe!"

Sim. Desde o princípio da minha vida na Terra. Desde menininha, dentro das águas de Copacabana, ela estivera me observando. Mesmo tendo-a negado por tantos anos, achando que a crença em sua existência era algo ridículo, ela estava lá. Silenciosa como sempre.

Incrível a paciência com que me esperara por tantos anos. Tantas tragédias se abateram em minha vida... Ah, se eu tivesse aceitado sua amizade logo no início... Se eu tivesse firmado um pacto com ela durante aquela prova de natação... Como eu estava arrependida de ter sido tão burra! Meus pais também não tiveram a inspiração de guiar meus passos. Mas a culpa não fora deles. Eles nunca viram o que eu vi.

Pensando bem, eu era uma pessoa privilegiada. Com certeza todos os romeiros e peregrinos católicos gostariam de ver o rosto da Mãe Celeste. Qual era o percentual de gente que tivera esse privilégio?

Difícil de responder. Eu, entretanto, me enquadrava em um seleto grupo. Tinha visto o rosto de Maria duas vezes, com a maior clareza possível, e durante o dia! Meu coração gritava dentro de mim que isso tinha um significado especial. Eu era uma filha especialíssima para a Virgem.

As últimas palavras de frei Antônio, ao final do seu tratamento, começaram a fazer sentido para mim. Era verdade: meus olhos tinham visto algo de extraordinário, que meu cérebro negara. Naquela manhã em Lourdes, com a cabeça sitiada por um tumor maligno, impotente diante da minha sina, ouvi a voz do coração com clareza angélica. Ele me dizia que a mulher mais importante do mundo me visitara.

As lágrimas caíram junto com a chuva. A água que descia por meu rosto parecia ter mais volume que a do rio que passava na minha frente. Pela primeira vez desde que tivera consciência de que estava doente, passei a acreditar que ficaria inteiramente curada, que teria uma vida nova pela frente.

Como eu ficara para trás, Ana e Teresa já tinham sido encaminhadas para dentro da casa de banhos. Havia três mulheres antes de mim, todas mais velhas do que eu. Uma das colaboradoras do Santuário pediu que elas entrassem e deu um sorriso para mim.

Eu seria a próxima. Comecei a inspirar com mais força. Uma ligeira taquicardia se impôs. Minhas mãos passeavam trêmulas pelas contas do terço. Nisso, começaram a sair algumas brasileiras do meu grupo de peregrinos.

Estavam vestidas da mesma forma como haviam entrado. Estranhei o fato de não terem os cabelos molhados. O que se passara? Será que não quiseram mergulhar? Nem sequer entraram na água? Meu Deus, quem recusaria tamanha honra? Mergulhar em uma fonte de águas que brotaram aos pés de Nossa Senhora! Só doido daria meia-volta e partiria em direção ao hotel.

Havia alguns anos, se fosse questionada sobre tal fonte, diria que era pura superstição. Acharia graça de toda aquela gente que esperava na fila. Ficaria de longe contemplando o que se passava, com olhos de psicóloga e interesse puramente acadêmico. Tudo mudara...

Observando melhor as mulheres, notei que choravam. Não havia comunicação entre elas, apesar de andarem juntas. Os olhares pareciam um tanto perdidos no espaço. Ninguém falava com ninguém! Os passos, todavia, eram constantes. Dirigiram-se para uma máquina automática que vendia velas. Colocaram moedas de euro e pegaram velas azuis.

Uma mão suave tocou meu ombro e, em francês, me convidou a entrar. Eu estivera tão distraída com a cena das brasileiras que quase me esqueci de que era a próxima. A curiosidade aumentou diante da cena que vira. O que me esperava lá dentro?

CAPÍTULO XVII

Banho

Respirei fundo, como se me preparasse para uma competição de natação. Meus passos eram automáticos. Praticamente não sentia as pernas me impulsionando para dentro da construção. Um ar de contemplação pairava lá dentro e não estava tão frio quanto do lado de fora.

Retirei o pesado casaco. Guardei o terço no bolso da calça junto com a imagem de padre Pio que frei Antônio me dera antes de sua partida para Roma. Ajeitei a blusa azul. Minhas mãos estavam bastante trêmulas. Procurei me controlar e olhar com calma o ambiente ao redor.

Havia um banco de madeira comprido, como os usados nas igrejas. Estava encostado à parede da sala, ao lado da porta por onde eu acabara de entrar. Pensei que veria, de pronto, a piscina onde mergulharia. Para minha decepção, só avistei cortinas e divisórias. Minha ansiedade era grande. Consultei o relógio para saber havia quanto tempo estava esperando. Embora parecessem horas a fio, tinham se passado apenas 43 minutos.

A senhora francesa que me conduzira para lá colocou a cabeça para dentro de uma das cortinas e falou algo na língua local. Então, com um gesto, sugeriu que eu me sentasse no banco e aguardasse minha vez. Disse-me que não demoraria muito.

Perguntei-lhe onde ficavam os banhos. Ela respondeu que as piscinas estavam atrás das cortinas. Para cada uma, havia pequenos boxes. Ela desapareceu através de uma delas.

Outras duas mulheres tinham entrado comigo. Eram americanas, muito simpáticas. Perguntaram-me se era minha primeira vez. Respondi que sim. Elas também não sabiam o que as aguardava. A mais jovem devia ter entre 25 e 30 anos. Estava ali para obter uma graça: queria um trabalho melhor na sua empresa. A outra viera na mesma excursão e desejava ser curada da diabetes.

Curiosa, perguntei sobre a suposta derrocada da Igreja Católica nos Estados Unidos. Elas me falaram que eram da região sul do país e não vinham da mesma cidade. Conheceram-se na excursão. Garantiram que, em ambas as localidades, os católicos formavam a grande maioria e não havia escândalos.

A fé era algo tão importante que, antes de viajar à França, o grupo passara três dias em Roma e fora recebido em audiência no auditório Paulo VI pelo próprio papa. A excursão delas tinha setenta pessoas, muito maior do que a minha, com 36, além do padre que nos acompanhava.

Fiquei um pouco envergonhada de dizer o motivo pelo qual estava ali sentada, já que meu caso era muito mais grave do que aquilo que as duas iriam apresentar à Virgem. Depois de alguns minutos, meu coração começou a ficar mais leve e resolvi contar. Elas se espantaram muito, pois minha aparência era ótima. Como eu podia ter uma doença tão séria?

Respondi que não me sentia doente, apesar das dores de cabeça e da eventual perda de equilíbrio. Continuava, entretanto, trabalhando normalmente. Elas ficaram emocionadas com minha garra e pediram para fazer uma oração comigo. Concordei. Sugeriram colocarmos, naquele momento, todas as nossas intenções, nos dar as mãos e rezar uma Ave-Maria. Depois, seguiríamos para as águas.

Ao encerrarmos a oração, outra senhora francesa, saindo de trás de uma das misteriosas cortinas, me convidou a entrar. Meu coração novamente pulava no peito. Minhas mãos suavam de nervosismo. Então, deparei-me com um pequeno boxe.

Para minha surpresa, continuava sem avistar a tal piscina. Comecei a ficar preocupada. Quantas barreiras mais eu teria que atravessar para ter acesso ao local tão aguardado? Ali dentro havia seis cadeiras. Três ocupavam todo o lado direito da fina divisória que não tocava o teto; o mesmo ocorria à esquerda. Em frente, havia outra cortina.

As americanas não entraram comigo. Ficaram esperando sua vez do lado de fora. A voluntária do santuário me mostrou que a divisória possuía ganchos, para que as roupas fossem penduradas. Enquanto falava, fechou atrás de si a cortina que dava para o banco onde eu estivera rezando com as mulheres.

Perguntei-lhe se era necessário me despir naquele momento. Ela respondeu afirmativamente. Pegou um lençol azul e me ofereceu. Fiquei de calcinha e sutiã. Ela disse que eu deveria ficar completamente nua, estendendo o lençol aberto em minha direção; não poderia ingressar nas águas com nenhuma peça de roupa.

Obedeci. Após me enrolar no lençol, pendurei minhas roupas no local indicado. Ela pediu que aguardasse um momento, em oração. Discretamente, espiou pela lateral da cortina, vendo o que se passava do outro lado. Avisou que minha vez já chegaria, pois a pessoa na piscina já estava terminando o banho.

Concluí que, obviamente, o banho se passava do outro lado da cortina. De fato ouvia barulho de água e uma mulher falava algo suavemente em francês. Estava frente a frente com meu último obstáculo para lançar minha cartada definitiva no combate à doença.

Fechei os olhos, imaginando que, dali a poucos minutos, a própria Virgem estaria comigo naquela água abençoada. Permaneci em oração. Senti um leve tocar na minha cabeça. Uma carícia. Sorri, agradecida. O pessoal que cuidava dos peregrinos do santuário era realmente muito delicado. Ao abrir os olhos, não visualizei ninguém.

Minha visão periférica, porém, captou alguém com uma túnica azul, que atravessou a cortina, sem fazê-la se mover! A última coisa que consegui observar era que se tratava de um ser bastante alto, cujos pés não tocavam o chão. Seus cabelos claros, esvoaçantes, pareciam feitos de água. Havia algo muito familiar naquele toque e naquela imagem. O que era?

Coloquei as mãos na cabeça, tentando forçar meu cérebro a buscar em seus arquivos mais longínquos a informação de que necessitava: quem era aquela criatura? A cortina, então, se abriu. Instintivamente olhei para o outro lado. Havia um pequeno tanque retangular, suficiente para caber com sobra uma pessoa. De cada lado, na borda, encontravam-se duas mulheres uniformizadas.

A mesma senhora que me introduzira no recinto me estendeu a mão e me convidou a ficar em pé, na borda da piscina. Foi o que fiz. Na borda oposta estava uma pequena imagem de Nossa Senhora de Lourdes. Precisei conter as lágrimas, pois era idêntica à da casa de minha mãe.

Baixei os olhos para a água cristalina. Isso foi suficiente para me acalmar. Recuperei novamente o controle. Ao levantar os olhos, um susto! Flutuando na água estava o gigante de cabelos de água e túnica azul. Fez um gesto me abençoando. Ninguém além de mim viu a cena. Ele desapareceu rápido.

Pensei que ia desfalecer. Dei uma balançada para trás e fechei os olhos. As francesas imaginaram que eu estava tomada pela emoção. Disseram-me para respirar fundo, que não havia pressa para entrar na água. Estavam tranquilas, sorridentes, falando coisas belas sobre o banho.

Em momento algum soltei a mão da senhora que me havia conduzido lá para dentro. Foi minha sorte. Do contrário, teria caído no chão. Quando meu coração ganhou o compasso correto, repuxei o cabelo para trás, em um gesto bastante demorado.

Uma voz ressoou no meu peito, dizendo que o arcanjo Gabriel abençoara meu banho. Não pude distinguir o timbre. Não sabia se era masculina ou feminina. Também não ressoara em meus ouvidos. Era como se meu coração fosse uma caverna e alguém, lá de dentro, gritasse a informação, que ecoava dentro de mim com uma intensidade incrível.

A vibração daquela voz me levou às lágrimas. Minha memória clareou. Tratava-se do mesmo anjo que havia me encontrado no mar de Copacabana, quando eu era uma menina. Ele não quisera esperar eu levar meu pai para apresentá-lo. Parecia não gostar muito de publicidade. As senhoras do santuário nem notaram sua presença.

A mais velha delas se dirigiu a mim, percebendo que eu tinha me recuperado. Pediu que eu fizesse a entrega dos meus pedidos. Disse que poderia ser na minha própria língua. Falei em voz baixa, em português, que gostaria de ficar curada do tumor maligno que havia se apoderado do meu cérebro. Queria também ter meu coração curado das feridas que as tragédias e derrotas da minha vida tinham me imposto.

Olhei para a senhora que comandava todo aquele cerimonial. Ela perguntou se eu sabia rezar a Ave-Maria em outra língua que não fosse o português. O motivo, explicou-me, é que gostariam de rezar comigo em voz alta antes de submergir meu corpo nas águas.

Sorrindo, falei que poderia ser em francês. Elas abriram largos sorrisos e nós nos demos as mãos. Começamos, em uníssono, a rezar para a Virgem. Meu corpo todo vibrava. Já não sabia se era por causa do arcanjo, de Maria Santíssima ou da emoção do momento.

Ao final, a mais velha pediu que eu descesse o primeiro degrau da piscina. O silêncio imperava. Molhei meus pés. Ela acenou para que eu desse mais um passo. Afundei até as canelas. A água era típica de região montanhosa: muito gelada.

O mais estranho é que, em vez de me causar repulsa, de querer retornar para a borda, onde estava uma temperatura agradável, só me fez ter vontade de descer ao fundo da piscina. A água atingiu o quadril. Por um passe de mágica, eu não sentia nenhum tipo de incômodo. Era muito gelada, mas não me dava frio.

A senhora mais velha pediu que as mulheres nas bordas segurassem meus braços. Para mim, ela explicou que eu deveria me agachar, afundando meu corpo todo dentro daquela banheira. Não deveria mergulhar a cabeça, pois havia um bule com a mesma água, que seria jogada nos meus cabelos.

Assenti. Ela disse para eu olhar mais uma vez para a imagem de Nossa Senhora de Lourdes e entregar com fé meus pedidos enquanto fosse banhada. Falou também que eu poderia levar no coração qualquer doente ou pessoa que quisesse, para que a bênção atingisse o outro.

As lágrimas começaram instantaneamente a correr pelo meu rosto. Coloquei no coração meu pai e minha mãe. Eles já haviam falecido, mas, como se tratava de uma bênção especial, queria muito que chegasse até eles. Tinha certeza de que aquele meu gesto facilitaria a caminhada dos dois na outra vida, onde quer que estivessem.

As francesas me ajudaram a mergulhar quase o corpo todo. A água também foi derramada na minha cabeça. Mantive os olhos bem abertos, para que eles também fossem banhados. Fixei a mente na imagem de meus pais.

Uma espécie de capa de gelo pareceu cobrir todo o meu corpo. Logo depois, me puxaram para fora da água. Pediram que eu subisse os degraus do tanque e saísse. O lençol azul estava encharcado. Fiz menção de pedir uma toalha para a senhora que havia me conduzido lá para dentro. Ela informou que eu deveria me vestir do jeito que estava.

Não discuti. Devolvi o lençol após colocar as roupas íntimas. Vesti a calça e a blusa. Espremi os cabelos molhados e a água escorreu um pouco pela nuca. Sentindo a roupa grudar no corpo, vesti o pesado casaco negro. Calcei as meias e o tênis e saí dali.

O banco de madeira estava vazio. Nem sinal das americanas. Calculei que deviam estar em um dos boxes. Estavam passando pelo mesmo que eu tinha acabado de vivenciar. Segui para fora da casa de banhos.

Ao sair, percebi que chovia com mais força e fazia mais frio do que quando eu havia entrado. Tive a impressão de que havia transcorrido um tempo enorme entre minha chegada à fila e meu banho nas águas sagradas. Olhei para o pulso com a intenção de conferir as horas, mas então lembrei que o relógio estava no bolso da calça.

Peguei-o e percebi que tudo durara aproximadamente uma hora! Eu perdera por completo a noção do tempo, e também do espaço, já que me impressionei com a proximidade do rio e com o clima. Abri meu guarda-chuva.

Quando comecei a caminhar, sem saber exatamente qual direção tomar, passei a mão pelos cabelos, preocupada em apanhar um resfriado. Inacreditavelmente, constatei que já estavam secos! Meu corpo também já secara e as roupas não mais grudavam.

Entendi, naquele momento, por que as brasileiras de meu grupo saíram da casa de banhos com os cabelos secos, assim como chorando. Minhas bochechas continuavam úmidas.

Pensei em fazer o mesmo que elas tinham feito. Adquiri três velas azuis na máquina automática nas proximidades da gruta. Pensei em acendê-las por mim e meus pais, bem como por nossos anjos da guarda.

Quando já ia caminhando em direção ao local onde se acendem as velas, algo deteve meus passos. A pergunta ressoou em tom grave dentro de mim: "E padre José e frei Antônio?" Eles não mereciam uma pequena oração de minha parte? Não haviam sido a ponte que me ligara a todo aquele mundo novo?

Retornei de imediato. Comprei mais duas velas. Dessa vez parei em frente ao "fogareiro" de velas, pensando se havia esquecido mais alguém. Perguntei mentalmente ao arcanjo Gabriel se ele queria que lhe acendesse uma vela. Estava muito agradecida por saber que ele havia me acompanhado desde que eu era uma menininha.

Para meu espanto, a voz em meu peito afirmou que o maior presente que eu poderia lhe dar era seguir o caminho da espiritualidade, fazendo o bem a todos os que necessitassem dos meus talentos. Que eu nunca os escondesse dentro de mim nem continuasse negando-os.

Acendi as velas uma a uma e as posicionei lado a lado. Ajoelhei-me, apesar de o chão estar molhado pela chuva, deixando o guarda-chuva ao lado. Juntei as mãos em frente ao corpo e olhei fixamente para o fogo que subia diante dos meus olhos marejados. Comecei com uma Ave-Maria. Depois, agradeci pela oportunidade de estar naquele lugar.

Nesse momento, o coração fez as pazes com a cabeça e ambos me disseram que Maria Santíssima era, sem sombra de dúvida, um ser vivente. Estava muito presente em cada passo que a humanidade dava. Trabalhava incessantemente na recuperação dos homens. Fora me buscar a todo custo, trazendo-me para junto de Deus. Nunca havia desistido de mim.

Procurei me levantar. Peguei o guarda-chuva e limpei a sujeira da calça. Comecei a andar em direção à gruta. A chuva apertou mais ainda. Com a indicação dos voluntários do santuário, alguns peregrinos passavam em oração por dentro do lugar das aparições de Maria a Santa Bernadette.

Percebi que havia mais uma fila, mas pequena, em função do mau tempo. Coloquei-me a postos. Reafirmaria meus pedidos dentro da gruta. Mal não faria. Tirei o terço do bolso e, silenciosamente, comecei a rezar os mistérios dolorosos enquanto a fila andava.

Quando adentrei a gruta, vi que um vidro cobria a nascente de água, que vertia com muito vigor. Fora ali que tudo começara. Fiquei bastante emocionada e pedi que Maria obtivesse para mim a cura definitiva para meu problema. Um dos rapazes que tomava conta da fila me pediu que avançasse, pois eu ficara estática.

Segui andando por dentro da pequena gruta e passei embaixo de uma imagem grande de Nossa Senhora de Lourdes, que ficava numa parte alta da pedra. Sem dar muita atenção aos comandos do pessoal que cuidava daquela parte do santuário, rezei outra Ave-Maria inteira.

Quando pisei fora da gruta, caminhei em direção ao Gave. Saí do meu transe e comecei a pensar em tudo que vivera para chegar até ali, nas dores horríveis que vinha sentindo, todos os dias, e na minha falta de equilíbrio. Coisas absolutamente desagradáveis que me impediam de curtir um dia como aquele.

Subitamente, me dei conta de que: as dores haviam desaparecido por completo e, até aquele momento do dia, não havia tido nenhum sintoma do desequilíbrio. Fiquei trêmula de emoção! Era impossível não pensar que a guerra estava sendo ganha. Algo me dizia que eu estava curada. Uma pequena ponta do meu ser falava que eu estava me precipitando...

Ao longe, avistei Teresa caminhando com Ana e Miguel. Não podia gritar por eles dentro do santuário, por isso apertei o passo.

Quando os alcancei, Miguel perguntou se eu havia participado do banho. Respondi que sim. Ele quis saber minha impressão. Eu disse que não conseguiria contar tudo que havia sentido – também não queria me expor, falando sobre a face de Maria e a aparição do arcanjo Gabriel; achariam que eu estava ficando louca. Ele avisou que estava na hora do almoço, por isso caminhavam rumo ao hotel. As demais pessoas do grupo já deveriam estar lá.

Questionei-os se os cabelos das pessoas que haviam mergulhado nas banheiras secavam mesmo quase instantaneamente ao saírem do local do banho. Todos riram. Miguel falou que se esquecera de dar essa informação. Havia muito ele notara que os corpos das pessoas que se banhavam naquelas águas se secavam por completo em tempo recorde. Ele achava que era por isso que o santuário não oferecia toalhas aos peregrinos.

Perguntei a Teresa como ela se sentia após o banho.

– Querida, já é a terceira vez que faço isso aqui. Devo dizer que uma nunca foi igual à outra. Sabe, na primeira vez, estava com um pequeno problema de saúde. Isso foi há dez anos!

Ela parou, olhando ao longe, como que rememorando o acontecido.

– Você ficou boa do seu problema de saúde, Teresa?

– Totalmente. Na hora em que saí da casa de banhos, senti algo estranho em minha garganta. Achei que era um nó de emoção, pelo que tinha se passado. Quando voltei ao Brasil, procurei meu médico. Fizemos novos exames e constatamos que o problema na tireoide estava solucionado misteriosamente.

Ela deu uma gargalhada.

— O médico não ficou espantado? Não perguntou o que havia acontecido?

— Claro que sim! — exclamou, apoiando-se em meu braço para caminhar com mais firmeza.

— Você deu alguma explicação a ele? Contou que estivera no Santuário de Nossa Senhora de Lourdes?

— Não só contei que tomara um banho aqui como expliquei que, na saída do banho, sentira algo diferente em minha garganta.

— E ele?

— Ficou me olhando, avaliando se acreditava ou não no que eu contava. Por fim, falou que os exames diziam tudo e sorriu. Eu dei de presente ao Dr. Osvaldo uma medalha de Nossa Senhora de Lourdes. Ele a guardou na carteira e disse que nunca mais a tiraria dali.

Entramos no hotel. Eu ainda estava muito emocionada com tudo. Agora tinha uns quinze minutos para me arrumar para o almoço com o grupo. O último que faríamos naquela simpática e tranquila cidadezinha do sul da França. Subi as escadas correndo.

CAPÍTULO XVIII

Libertação

Cheguei ao quarto do hotel. Fiz a mala. Separei apenas a roupa que iria usar naquele dia para retornar a casa. Fui tomar banho. A sensação da água quente percorrendo meu corpo era libertadora.

Estava feliz: os ombros relaxados, os músculos soltos. Sentia que um peso fora retirado da minha cabeça. O coração estava livre depois das pazes com a cabeça. Meu espírito vivia em harmonia, algo que não me lembrava de ter acontecido nos últimos anos de vida.

Minha relação com a água, que começara desde pequena, agora me favorecia. Estar imersa era uma bênção para mim. Sempre fora. Em alguns momentos de minha vida me afastara dela, mas ela gritava por mim, aonde quer que eu fosse. O retorno às raízes havia sido bem melhor do que eu pudera imaginar.

Nossa Senhora criara uma ligação especial conosco através das suas águas abençoadas. Eu, uma criatura aquática que buscava cura, estava me aproveitando daquele fato. Não sabia se havia escolhido o Santuário de Lourdes por ser marcado pela água santa ou se ele é que me escolhera. De qualquer forma, a água fora o sinal de que eu precisava para tomar a iniciativa de buscar Deus.

Ao ver e ouvir o curso da água, sentia-me confortável, como se estivesse em casa. Olhei pela janela do quarto e lá estava ele: o Gave descia em direção ao santuário como, de resto, tudo o que se movia na pequena cidade. Da mesma forma que o sol, o Santuário de Lourdes atraía tudo ao redor. Uma força gravitacional tão poderosa que me buscara em outro continente.

Tomando as escadas para o almoço, percebi que minha peregrinação praticamente havia se encerrado. Miguel saudou a todos e nos comunicou que o ônibus partiria em direção ao aeroporto da cidade às dezesseis horas. Nosso voo para Paris sairia duas horas depois. Dormiríamos na Cidade Luz e depois, pela manhã, seria a volta ao Rio de Janeiro.

Pelos meus cálculos, havia sobrado uma hora vaga. Como minha mala já estava pronta, perguntei a Miguel se eu poderia ir novamente ao santuário para me despedir de Maria.

– Ora, você deve mesmo!

– Vou rapidinho. Primeiro vou deixar minha mala aqui na recepção. Assim, os rapazes poderão colocá-la no ônibus.

Não queria atrapalhar o grupo caso me atrasasse.

– Tudo bem. Estarei aqui no hall até a hora da partida. Se você olhar ali no canto, vai perceber que algumas malas já estão lá. Algumas pessoas as deixaram e foram ao santuário para a última oração. Corra lá! – exclamou, sorridente.

Após deixar a mala no local combinado, parti apressada, seguindo o curso do Gave. O suor em minha testa se misturou com a chuva fina e constante que descia suavemente pelo nariz e pelas bochechas, espalhando-se pelos lábios. Um misto de quente e frio. Uma sensação diferente que se apoderou da minha face.

Não havia em mim nenhum sinal de tristeza. Estava feliz por ter encontrado um caminho diferente para seguir. Sabia que o retorno à Gávea não seria fácil. O combate à doença – se é que ela ainda permanecia dentro de mim – estava apenas no início. Eu precisava retomar minha rotina e encarar novos desafios.

A brisa fria que vinha na direção oposta foi me acariciando os cabelos. Por um instante, parei e virei o corpo em direção ao rio Gave, que se movia em seu próprio ritmo. Meus olhos se ergueram por sobre ele e se perderam na grama verde e na floresta ao fundo, escalando a bela montanha. Naquele momento, eles eram como uma máquina fotográfica, registrando para sempre em minha memória o momento sublime por que passava.

Retomei a caminhada e entrei pelo portão lateral do santuário. Meu espírito ainda sentia o gélido curativo daquelas águas sagradas. Um mistério... Mas as coisas de Deus são mesmo misteriosas. Nunca imaginei uma estadia em um lugar como aquele! Como isso acontecera comigo?

Tomei para mim a certeza de que uma mão invisível conduzira com maestria todos os acontecimentos e experiências que tivera, para, depois de todos aqueles anos, me colocar ali. Mistério! Mas toda existência, de qualquer ser humano, flerta com o desconhecido. Até mesmo criaturas naturalmente místicas, como frei Antônio, tinham momentos que não podiam compreender.

Mirando cada canto do Santuário, respirando o ar interior, percebi que Deus é mesmo onipresente. Tudo ao meu redor continha partículas dele. Uma alegria diferente, inconfundível, tomou conta de mim. Ele habitava meu coração e estava presente na minha vida. Tive a convicção de que nunca havia me abandonado e estava com os ouvidos ligados em todas as minhas ofensas e pleitos.

Aquilo em que padre José acreditava fazia sentido: Deus era um ser bondoso e misericordioso. Eu me esforçara muito para me afastar dele e não obtivera sucesso. Ele me olhava o tempo todo de cima, como um pai que assiste à pirraça de uma filha mimada. Paciente, aguardara o momento certo para interferir no meu caminho. Usou da força necessária, trazendo minha vida aos eixos.

Parei em frente à basílica nova, admirando a coroa dourada que representa a majestade de Maria. Um lugar propício à oração, à meditação e ao silêncio, moldado pelas mãos delicadas da própria Senhora contemplativa. Construído desde o momento em que ela fizera surgir a água do solo da gruta. Preenchido e ocupado em toda a sua extensão pelo poder de Deus, produzindo milagres impressionantes, comprovados pela ciência ou nunca explicados por ela.

Resolvi rezar um último terço de despedida, sentada sob uma das árvores de enorme copa. O banco que encontrei era bastante confortável e não havia ninguém muito próximo a mim. A chuva parou e pude ver os raios de sol em meio ao céu nublado.

A cura para a doença seria, mais uma vez, a intenção única do meu terço. Toquei meus cabelos como que procurando por algo. Nada de dores de cabeça nem perda de equilíbrio. Meu sorriso brotou, mas eu tinha que conter minha euforia: poderia me decepcionar muito no Rio de Janeiro.

O pessimismo, entretanto, não ocupava mais lugar em mim. Não podia negar que havia alguma melhora. Por que não acreditar na cura milagrosa, se tantos a conquistaram bem ali? Quantas coisas estão muito além do alcance da mente humana? Deveria ser atrevida e me posicionar: existia saída para o drama que eu estava vivendo! Se eu não acreditasse, quem o faria? O fato de o médico ter-se dado por derrotado não significava que não havia uma forma de superar a doença.

Reparei em mulheres que se dirigiam para o lugar das velas. Carregavam algumas de cores e tamanhos variados, até longas demais – quase do tamanho do corpo! A dimensão da vela tinha relação direta com a graça que queriam alcançar. Quase larguei minha oração e fui comprar a maior de todas.

Claro que Deus não mede graça por tamanho de vela. Como já havia escutado, Ele quer ver o tamanho da fé. Ela é que deve ser grande, colorida, forte e sobressair dentre todas as qualidades de uma pessoa. A minha estava em dia. Fora muito bem alimentada durante a estada na França.

O vaivém dos peregrinos me distraía e eu precisava da máxima concentração para aquela derradeira oração antes do voo de volta.

Respirei fundo, olhei para o céu, que se abriu um pouco e um raio de luz atingiu minha testa. Fechei os olhos, deixando que aquela força invadisse minha cabeça. Iniciei a oração do Credo.

O mundo todo parou ao meu redor para que eu percebesse incontestavelmente a presença de Deus comigo, sentada sob a árvore, de frente para o rio esmeralda. Como era fácil! Não dava para descrever o que acontecia dentro de mim naquele lugar. Não era racional nem puramente emocional. Havia algo diferente, abstrato, espiritual que me tomava por completo.

No último mistério, antes de terminar o Pai-Nosso, uma voz masculina bem conhecida dos meus ouvidos afirmou, alegre: "Como eu tinha dito, Deus iria me dar nova chance de enfrentar um tumor maligno. Você acreditou que eu venceria. Eu lhe digo que vencemos!"

As palavras vinham de trás do banco. Abri os olhos e me virei. Ao longe, desaparecendo pelos arcos de pedra na lateral da basílica, vi uma sandália de couro marrom e um pedaço esvoaçante da batina franciscana. Corri para alcançar a pessoa. Não havia nenhum frade franciscano no lugar.

Não pude deixar de me lembrar das senhoras da missa de padre José e sua história do sacerdote que ficara invisível. Dei uma pequena risada. Devia ser algo no DNA dos filhos espirituais de São Francisco que acabava produzindo santos como Santo Antônio de Pádua, São Frei Galvão, Santo Padre Pio e sabe-se lá quantos mais, todos com dons.

Ao invés de me assustar ou ficar chateada, me emocionei com o carinho de frei Antônio. Ao terminar o terço, respirei satisfeita e rezei uma Ave-Maria pela vida dele, agradecendo a grande oportunidade que tivera de tratá-lo no meu consultório. Compreendi que havia sido um presente de Deus para mim – e eu quase o recusara!

Levantei-me do banco, dirigindo-me à saída. Tinha conseguido cumprir todos os objetivos de minha viagem, até mesmo mergulhar nas águas milagrosas de Lourdes. Meu coração se encontrava em estado de graça, feliz e sereno. Não sabia se havia conseguido a cura, mas a sensação de paz e amor naquele momento era indescritível.

Compreendi por que razão Nossa Senhora é denominada Rainha da Paz. No Santuário de Lourdes, quando se adentra sua casa e se senta junto dela, após se ter contato com suas celebrações e a magnífica água, a pessoa é coberta por um manto de paz.

Sentia-me protegida e cuidada. Sabia que era alvo do amor imenso da Mãe. Toda a exuberante natureza que cercava aquele lugar santo parecia fazer uma declaração de amor para mim em nome de Maria, brindando um encontro absolutamente íntimo no santuário e no meu coração!

Consultei o relógio. Estava com o tempo calculado para meu retorno. A mão de alguém me tocou o ombro e me estendeu uma Bíblia aberta. Olhei para o rosto iluminado de Teresa e olhei o que ela apontava: Livro da Sabedoria, um trecho dos capítulos 11 e 12.

– Querida, leia-o em voz alta, é uma oração linda! Quero fazê-la com você antes de retornarmos e pegarmos o ônibus para o aeroporto. Foi inspirada por Nossa Senhora. Ela é quem me disse, dentro do meu coração, para abrir a página aqui.

– "O mundo inteiro diante de ti é como grão de areia na balança, como gota de orvalho matutino caindo sobre a terra. Todavia, tu tens compaixão de todos, porque podes tudo, e não levas em conta os pecados dos homens, para que eles se arrependam. Tu amas tudo o que existe, e não desprezas nada do que criaste. Se odiasses alguma coisa, não a terias criado. De que modo poderia alguma coisa subsistir, se tu não a quisesses? Como se poderia conservar alguma coisa se tu não a tivesses chamado à existência? Tu, porém, poupas todas as coisas, porque todas pertencem a ti, Senhor, o amigo da vida. O teu espírito incorruptível está em todas as coisas. Por isso, castigas com brandura os que erram. Tu os admoestas, fazendo-os lembrar os pecados que cometeram, para que, afastando-se da maldade, acreditem em ti, Senhor."

Fiquei impressionada. Aquele trecho do Antigo Testamento resumia tudo o que eu tinha concluído da minha estada no Santuário de Lourdes. Teresa não fazia ideia do quanto aquela leitura me trazia confiança. Significava que Nossa Senhora ouvira todos os meus silenciosos pensamentos. Ela escutava o meu silêncio! E, provavelmente, feliz com a filha, quis me assegurar que minhas conclusões eram verdadeiras.

Dei um beijo no rosto de Teresa e começamos a andar para fora do santuário. Atravessamos o portão de ferro e olhamos, já com imensa saudade, lá para dentro. Seguimos com passos tranquilos rumo ao hotel. Miguel estava à porta do ônibus e só nós duas estávamos do lado de fora. Ele nos ajudou a subir a escadinha.

Fizemos um bom voo para o aeroporto de Orly, em Paris. Outro ônibus nos esperava lá. Miguel nos comunicou que haveria um jantar especial de despedida do grupo. Seria feito em um passeio no Bateau Mouche, pelo rio Sena, com a vista da cidade toda iluminada. Sorrindo, nos disse que era um presente de Nossa Senhora para o grupo.

Mais um entre vários que ela havia me dado. Já era o quarto dia seguido que as dores de cabeça tinham me abandonado por completo. Meu equilíbrio também estava perfeito. Estava segura de mim mesma, sem nenhum medo do que iria enfrentar no Brasil.

Na manhã seguinte, todos muito felizes, tomamos o café da manhã bem cedo no hotel e seguimos para o aeroporto Charles de Gaulle. Fizemos o check-in e fomos dar umas voltas pelo terminal, aguardando o momento do embarque. Minha poltrona seria a de número 13. Fiquei satisfeita, era o dia em que havia nascido!

Agora, pela janela do avião, já posso ver os primeiros contornos da cidade do Rio de Janeiro. Mantenho a serenidade que ganhei durante minha peregrinação. Pretendo saboreá-la o resto da minha vida. Já falei com Miguel que, no próximo ano, durante minhas férias, quero visitar outro santuário mariano, conhecer mais da minha Mãe.

Ele me contou que está montando uma viagem de vinte dias envolvendo o Santuário de Fátima, em Portugal. Além disso, vai ao Leste Europeu e fará uma visita à Igreja de Nossa Senhora das Vitórias, em Praga, onde está a imagem milagrosa do Menino Jesus. Disse que já iria colocar meu nome na lista de reserva. Concordei.

Pretendo contar tudo o que se passou comigo ao médico. Tenho uma consulta agendada para sexta-feira, na parte da manhã. Acho que ele vai se espantar em me ver tão bem. Vai me perguntar sobre as dores de cabeça e a falta de equilíbrio. Vou me divertir com ele.

Vou lhe comunicar também que tenho planos para minhas férias do ano que vem. Aliás, tenho diversos planos para o futuro. Quero que ele entenda que o prognóstico de dois meses a três anos não me interessa mais. Quero celebrar a vida. A dúvida sobre minha cura, deixo-a integralmente para a medicina.

Da mesma forma que o primeiro mistério glorioso do rosário anuncia a ressurreição de Jesus, quero anunciar a minha. Estive morta e enterrada junto com minhas ideias e meu coração, mas, agora, a pedra que fechava meu sepulcro foi removida pelas mãos meigas e delicadas da Senhora das Águas.

CONHEÇA OS LIVROS DE PEDRO SIQUEIRA

NÃO FICÇÃO
Todo mundo tem um anjo da guarda
Você pode falar com Deus
Viagens místicas

FICÇÃO
Senhora das águas
Senhora dos ares
Senhora do sol

Para saber mais sobre os títulos e autores da Editora Sextante,
visite o nosso site e siga as nossas redes sociais.
Além de informações sobre os próximos lançamentos,
você terá acesso a conteúdos exclusivos
e poderá participar de promoções e sorteios.

sextante.com.br